S0-AKI-098

*Más de 4500 términos
usados en los siguentes oficios:*

Acondicionamiento de Aire

Refrigeración

Mecánica

Carrocería de Automóviles

Carpentería

Construcción

Ebanistería

Electricista

Jardenería

Soldadura de Arco y Gas

Equipo Pesado

Máquina Herramienta

Plomería

Pintura

Hojalatería

más tablas de:
Medidas de Estados Unidos
Términos eléctricos

*Over 4500 terms
used in the following trades:*

Air Conditioning and Refrigeration
Auto Mechanics and Body Work
Carpentry
Cabinet-making
Construction Trades
Electrical Work
Gardening
Gas and Electric Welding
Heavy Equipment Operation
Machine Shop
Plumbing
Painting
Sheet Metal Work
Woods, Metals, and Fasteners

plus tables for:
U.S. Measurements and Electrical Terms

Nash's

Diccionario Práctico de Herramientas y Maquinaria
Oficios Múltiples
Español/Inglés

más de 4500 términos

por Irwin Nash

Nash's

Dictionary of Tools and Machinery
Spanish and English

Contains over 4500 terms

by Irwin Nash

First Edition

Copyright © 1996 by Irwin Nash
– All Rights Reserved –

Published by:

Albacore Press

1612 N. 39th St.
Seattle, WA 98103
Phone (206) 547-7902
Fax   (206) 633-2817

Library of Congress Catalog Card Number:
95-083-485
ISBN: 0-9645504-0-7

AL LECTOR HISPANO

La idea por este libro nació de la experiencia práctica de mis años de enseñanza con estudiantes y trabajadores hispanos de diferentes áreas. Al ver la necesidad para un libro de referencia enfocado en la terminología de los oficios más populares, hice una investigación rigurosa por tal libro. Cuando no encontré nada de tamaño compacto y precio económico que llenara la necesidad, decidí compilar uno yo mismo. Espero que este volumen sirva para facilitar la comunicación entre el pueblo hispano y los maestros, jefes del trabajo, y los negocios.

TO THE ENGLISH-SPEAKING READER

During my years of teaching English to Hispanic students and workers from various countries, I became aware of the need for an inexpensive, compact, bilingual reference of tools and machinery for the classroom, workplace and personal use. Talents flourish and efficiency increases when language barriers are lowered; all concerned benefit from more effective communication. This volume is a contribution to that goal.

AGRADECIMIENTOS

Este libro no hubiera sido posible sin la ayuda inestimable de John Pursell y Philip Williams. Les agradezco también al ingeniero y profesor Fernando Larios para las correciones de las pruebas del español, a Michael Legaly por muchos consejos valiosos, y James Coffin por el diseño de la cubierta.

También quisiera agradecer a las siguientes personas quienes examinaron un borrador preliminar del texto: Kathleen Bombach, Directora de *Workforce Training*, y Ron Gibbets, instructor en jefe, y a los instructores del Centro de Tecnología Avanzada de El Paso Community College. A Yolanda Estremera, *Corporate Director of Allied Health Occupations*, Center For Employment Training; Obie Gonzalez, *Field Services Supervisor*, de SER-Jobs for Progress National, Inc.; Dra. Suzanne Griffin, *Associate Dean For Instruction*, de South Seattle Community College; Dr. Anthony Ruiz y Sue St John.

ACKNOWLEDGEMENTS

This book would not have been possible without the help of John Pursell and Philip Williams. Thanks also to Fernando Larios who proof read the Spanish, Michael Lagaly for many valuable suggestions, and James Coffin, for the cover design.

I am grateful to the following persons who interrupted busy schedules to review a preliminary draft: Kathleen Bombach, Director of Workforce Training, and Ron Gibbets and colleagues at the Center for Advanced Technology, El Paso Community College; Yolanda Estremera, Corporate Director of Allied Health Occupations, Center for Employment Training; Obie Gonzalez, Field Services Supervisor, SER-Jobs for Progress National, Inc.; Dr. Suzanne Griffin, Associate Dean of Instruction, South Seattle Community College; Dr. Anthony Ruiz and Sue St. John.

Español-Inglés

Spanish-English

abocardo, countersink
abocardo tipo rosa, rosehead countersink
abrazadera, clamp
abrazadera de cable, cable clamp
abrazadera de manguera, hose clamp
acanaladora, channeler
aceite de corte, cutting oil
aceite de lavar, flushing oil
aceite de motor, motor oil
aceite de motor de todo clima,
    motor oil (variable viscosity)
aceite lubricante, lubricating oil
aceite lubricante ligero,
    light weight lubricating oil
aceite lubricante pesado,
    heavy weight lubricating oil
aceite para temple, quenching oil
aceitera cónica, pyramid oiler
acepilladora, shaping planer
acepilladora cerrada, closed planer
acepilladora con engranajes espirales,
    spiral geared planer

acepilladora de engranaje recto,
  spur geared planer

acepilladora rotatoria, rotary planer

acumulador, battery (lead acid storage)

aerógrafo, airbrush

afilada con cara cóncava, hollow ground

afiladora de brocas, cutter sharpener

agarradero, grip; handle

agarrador de remaches, rivet catcher

agarre del remache, rivet grip

agavilladora giratoria, rotary swather

aguilón de grúa, crane boom

agujero, hole

agujero de lubricación, oilhole

aguzador de barrenas, bit ram

aire comprimido, compressed air

aireador rociador, spray aerator

ajustamiento en cero, zero adjustment

álabe, bucket

alambre para soldar, welding wire

alcotana, pickaxe

aleta, fin

alicates, pliers; pincers

alicates abrazaderas, locking pliers

alicates con garganta, open-throat pliers

alicates cortadoras laterales,
  sidecutting pliers

alicates de articulación ajustable,
  slip-joint pliers

alicates de ayustar, splicing tongs

alicates de cortar, cutting pliers

alicates de fijación, locking pliers

alicates de guardalínea, lineman's pliers

alicates de punta plana,
  duckbills; flatnose pliers

alicates de punta redonda, roundnose pliers

alicates de quijadas paralelas,
  parallel jaw pliers

alicates narigudos, long nose pliers

alicates para el incendido, ignition pliers

alicates pelacables, wire strippers

alicates universales, combination pliers

alimentación adjustable, adjustable feed

alimentación mecánica, power feed

alineadora de ruedas, wheel aligning machine

alzaprima, crowbar; pry bar

alzatubos, pipe jack

amarra de correa, belt clamp

amigo de plomero, plumber's friend

amoladora, grinder

amoladora de banco, bench grinder

amoladora de brocas, bit grinder; cutter grinder

amoladora de émbolos, piston grinder

amoladora de engranajes, gear grinder

amoladora de espigas, shank grinder

amoladora de troqueles, die grinder

amoladora neumática, air grinder

amperímetro, ammeter

andamino, scaffold

anillo partido, split ring

anillo sujetador, shell chuck

antiojeras, goggles

antorcha de corte o de cortar, cutting torch

antorcha de oxiacételina, acetylene torch

antorcha o soplete de arco eléctrico, arc torch

antorcha oxiacetilénica, oxyacetylene torch

apaciguador de arco, arc pacifier

apagador de arco, arc quencher

aparato de contracción de llantas, tire rim contractor

aparato de ensanchar neumáticos, tire spreader

aporcador, ridging hoe

apretatuercas, nut driver

arado, plow

arado para nieve, snow plow
arandela de presión, lockwasher
arandela elástica, spring washer
arandela partida, split washer
árbol, mandrel
árbol de polea, pulley beam
árbol de sierra, saw mandril
arco de sierra de metales, hacksaw frame
arena cuarzosa, quartz sand
argallera, reed plane
arnés al cuerpo, body harness
arnés al pecho, chest harness
arnés de suspensión, suspension harness
arrancaclavos, nail puller
arrancapernos, spike puller
arrancatubos, pipe puller
asa, handle
aserradora en caliente, hot saw
aserradora en frío, cold saw
atacadera, ramming bar
atomizador, sprayer
atomizador de pintura, paint gun
atornillador de empuje, spiral screwdriver
avance por tornillo, screw feed
avellanador, countersink

avellanador de dientes helicoidales, spiral-cut countersink

azada, hoe

azada para estiércol, manure hoe

azada para papas, potato hook

azadón, hoe

azuela, adze

azuela curva, spout adze

B

balde, bucket

banco de doblar, bending table

banco de sierra, saw bench

banco de trabajo, work bench

banda, belt

banda de cadena, chain belt

banda de correa, drive belt

banda de hule, rubber belt

banda sin fín, endless belt

banda V, V belt

barniz de frontar, rubbing varnish

barra de destarmador o destornillador, screwdriver blade

barra de emergéncia, panic bar

barra de extensión para llave de cubos o dados, socket extension

barra de uña, claw bar
barra para remolque, towing bar
barra sacaclavos, wrecking bar
barra V, V bar
barras para fabricar tornillos, screwstock
barrena, bit; drill bit
barrena batidora, churn drill
barrena de cable, cable drill
barrena de cincel, chisel bit
barrena de cruz, star drill
barrena de filo en cruz, star drill
barrena de gusano, worm auger
barrena de tierra, soil auger
barrena espiral, auger bit; screw auger
barrena giratoria, rotary bit
barrena hueca para albañilaría, pipe drill
barrena para mortajas, slotting auger
barrena piloto, pilot bit
barrena sacanúcleos, core drill
barrena salomónica, screw auger
barrenieve, snow plow
barrote con punta de cuña, chisel bar
base giratoria, rotating base
bastador se sierra, saw frame
bastrén, spokeshave
batería, battery (lead acid storage)

batería de mazos, stamp mill
bedano de mortaja, mortising chisel
berbiquí, brace
berbiquí de matraca, ratchet brace
berbiquí para rincones, corner brace
berbiquí y barrena, brace and bit
bieldo, pitchfork
bieldo para papas, potato fork
bisagra de muelle, spring hinge
bisel a inglete, bevel miter
biseladora, chamfering machine
bloque portaherramienta múltiple,
    multiple tool block
boca de martillo, peen
bocarte, stamp mill
bola rompeadora, wrecking ball
bomba, pump
bomba de presión, pressure pump
bomba manual, hand pump
bombilla para linterna, flashlight bulb
boquilla, collet; chuck; nozzle
boquilla ahusada, spring collet
boquilla de collar, ring chuck
boquilla de manguera, hoze nozzle
boquilla de soldar, welding tip
boquilla mezcladora, mixing nozzle

boquilla partida o hendida, split collet

boquilla rociadora, spray head

borriquete, saw horse

botador de remaches, rivet punch

botalón de grúa, crane boom

boterola, rivet set

botoquín de emergencia, first-aid kit

bramante, twine

brida, lathe dog

broca, bit; drill; drill bit

broca buriladora, outer bit

broca con canal para aceite entre estrías,
  oil tube drill

broca con espiga de guía, pin drill

broca de acanalado simple, single flute drill

broca de ancanaldo doble, double flute drill

broca de avellanar, center drill

broca de centrar, center drill

broca de cruz, star bit

broca de desarmador o destornillador,
  screwdriver bit

broca de manguito, shell drill

broca de punta de carburo, carbide-tipped drill

broca de puntear, spotting drill

broca estrellada, star bit

broca o mecha de punta chata aguda,
  hognose drill

broca piloto, pilot bit
brocha, brush; paintbrush
brújula, compass (direction)
bruñiadora, polisher
bruñidor, burnisher
buril, graver
burlete, weatherstripping
burro para aserrar, sawhorse

C

caballete de aserrar, sawhorse
caballete para secar heno,
   hay drying rack
cabeza de tornillo, screw head
cabeza de tripié o trípode, tripod head
cabezal de cepilliadora, planer head
cabezales transferentes, transfer blocks
cable, cable
cable blindado, armored cable
cable de izar, hoist cable
cable de martinete, pile driver lead
cable de remolque, towing cable; towline
cable destapacaños, snake (plumbers)
cable no metálico, nonmetallic cable
cable tractor, traction line
cabo, rope

cabrestante, crab; hoist
cabria, crab; crane
cadena, chain
cadena articulada, sprocket chain
cadena de grúa, crane chain
cadena de lubricación, oiling chain
cadena de medir, measuring chain
cadena de producción, production line
cadena de rodillos, roller chain
caja de empatadura, packing box
caja de herramientas, tool box
caja de inglete, miter box
caja de plantas de semilla, seeding box
caja de transferencia, transfer case
caldero de colada, ladle
calentadora de remaches, rivet heater
calibrador, gauge
calibrador de alambre, wire gauge
calibrador de alineación,
    alignment gauge
calibrador de barrenas, bit gauge
calibrador de bujías, spark plug gauge
calibrador de espesor, slip gauge
calibrador de espigas, shank gauge
calibrador de planchas, plate gauge
calibrador de tubos, pipe gauge

calibrador fijo de espesor, caliper gauge

calibrador interior o macho, male gauge

calibrador mediador, sizer

calibre, jig

calibre americano, American gauge

calibre cilíndrico, plug gauge

calibre corredizo de espesor, slide caliper

calibre de ajuste, adjusting gauge

calibre de aliniación, trammel

calibre de altura, surface gauge

calibre de Brown and Sharp, American gauge

calibre de centrar, centering gauge

calibre de centro, center gauge

calibre de cilindro, cylinder gauge

calibre de cinta, feeler gauge

calibre de comparación, master gauge

calibre de compás, caliper gauge

calibre de comprobación,
    check gauge; control gauge

calibre de dientes, saw gauge

calibre de espesor, feeler gauge; outside calipers

calibre de estirar, drawplate

calibre de juego máximo, not-go gauge

calibre de juego mínimo, go gauge

calibre de láminas, feeler gauge

calibre de mechas, drill gauge

calibre de precisión,
    precision caliper; precision gauge

calibre de profundidad, depth gauge

calibre de resorte, spring calipers

calibre de roscas, screw gauge

calibre de tolerancia, limit gauge

calibre de traspaso, transfer caliper

calibre de vernier, vernier gauge

calibre específico, definite gauge

calibre exterior, outside calipers

calibre maestro, master gauge

calibre micrométrico,
    micrometer calipers

calibre normal, end gauge; end-measuring rod

calibre para comprobar ejes,
    axle testing gauge

calibre para herramientas, tool gauge

calibre para rectificación de cilindros,
    cylinder boring gauge

calibre para roscas, thread gauge

calibre que debe entrar, go gauge

calibre que no debe entrar, not-go gauge

calibre trazador, marking caliper

calibridor de cubo, socket gauge

cámara mezcladora, mixing chamber

camilla rodante, creeper

camión, truck

candado de combinación, combination padlock

canteador en bisel, bevel edger

cárcel, clamp; vise

carda limpialimas, file card

cargador hidráulico de balas, hydraulic bale loader

cargador lento de acumuladores o baterías, trickle charger

carpidor, hoe-fork combination

carrete, reel

carrete de manguera, hose reel

carretilla, wheelbarrow

carretilla elevadora de horquilla, forklift

carretilla para cajas y sacos, hand truck

casco, helmet

casco protector, hard hat

casquillo, socket

casquillo cerrado, closed socket

casquillo de boca cuadrada, square drive socket

casquillo destornillador, screw socket

casquillo para bujías, spark plug socket

catch spring, resorte de fiador

caucho, rubber

cavidad, cavity; hole

cemento de gaucho o de goma o de hule, rubber cement

cepilladora, planer

cepillo, brush; plane

cepillo acabador o alisador, smooth plane

cepillo convexo, round plane

cepillo de achaflanar, bevel plane

cepillo de alambre, wire brush

cepillo de árboles, bark brush

cepillo de contrafibra, block plane

cepillo de corteza, bark brush

cepillo de mediacaña, reed plane

cepillo de moldurar, molding plane

cepillo de ranurar, rabbet plane

cepillo desbastador, jack plane

cepillo limador, shaper

cepillo mecánico de banco, jointer

cepillo metálico, wire brush

cepillo para correas, belt plane

cepillo para inglete, miter plane

cepillo rebajador, plow plane; sash plane

cepillo universal, combination plane

cerchámetro, clearance gauge

cerradura, lock

cerradura de combinación, combination lock

cerrajería, hardware
cesto de alambre, wire basket
chancadora, crusher
chancadora de discos, disc crusher
chapa de madera, wood veneer
chaveta, key
chaveta de dos patas, cotter pin
chicharra, jackhammer
chompa, ratchet brace
chuzo, crowbar; pry bar
cilindro cilindro laminador, plate roller
cilindro de pulir, polishing cylinder
cilindro para agrandar tubos, tube expander
cincel, chisel
cincel arrancador, box chisel
cincel cortarrebabas, burr chisel
cincel de calafatear, calking chisel
cincel de debastar, burring chisel
cincel de filo en cruz, cross chisel
cincel de pico redondo, roundnose chisel
cincel de recalcar, caulking chisel
cincel escarificador, ripping chisel
cincel para metal caliente, hot chisel
cinta aislante, insulating tape
cinta de cordones, corded measuring tape
cinta de goma, rubber belt

cinta de medir, tape measure

cinta de resorte,
   spring-loaded steel measuring tape

cinta guía, fish tape

cinta obturadora de intemperie,
   weatherstripping

cinturon al cuerpo, safety belt

cinturón de guardalínea, lineman's belt

circuito premario, primary circuit

cizalla de dentar, saw shear

cizalla de guillotina, guillotine shear

cizalla de palanca, alligator shear; lever shear

cizalla de recortar, cropping shear

cizalla para barras, bar shear

cizalla para chapa metálica, slitting shears

cizalla para planchas, plate shears

cizalla rotatoria, rotary shears

cizallas con curvatura a la derecha, shears
   (right hand cut)

cizallas con curvatura a la izquierda, shears
   (left hand cut)

clavija de madera, wooden dowel

clavija hendida, cotter pin

clavo, nail

clavo de cabeza piramidal, rose nail

clavo grueso, spike

código de trazos, bar code

codo de inglete, miter elbow

cojinete acabador, sizer die

cojinete de terraja, screw die

cola, glue

cola de ebanista, carpenter's glue

collar, collet

collar ahusado, spring collet

colocador de pernos, bolt driver

compás, compass (drawing)

compás con punta de bola,
    ball-point dividers

compás de división de resorte, spring dividers

compás de espesor, thickness compass

compás de espesores, inside calipers

compás de interiores, inside calipers

compás de precisión, hairspring dividers

compás exterior de resorte,
    outside spring calipers

compresor de resorte de embrague,
    clutch spring compressor

comprobador de continuidad,
    continuity tester

comprobar in situ, spotcheck

compuerta izadora hidráulica,
    power lift gate

compuesto de pulir, lapping compound

conector sin soldadura, solderless connector

contrafrío o escoplo plano, flat chisel

contramatriz, top die

contratuerca, palnut; locknut

controlado por computador, computer-controlled

convertidor, converter

copilla de engrase, grease cup

cordel, cord; rope

cordel de gis o de marcar, chalk line

correa, belt

correa de cuero, leather belt

correa de gaucho, rubber belt

correa de ventilador, fan belt

correa en V, V belt

correa en V múltiple, multi-V belt

correa sin fin, endless belt

correa transportadora, conveyor belt

correa trapezodial, V belt

cortaalambre, nippers

cortabarras, bar cutter

cortabulones o cortacabillas, bolt cutter

cortacable, cable cutter

cortacadena, chain cutter

cortacésped, lawn mower

cortacésped autoportado, riding lawn mower

cortacésped de motor, power mower
cortacésped eléctrico, electric power mower
cortacésped mecánico, hand mower
cortachapa, sheet metal cutter
cortaclavos, nail clippers
cortacorrea, belt cutter
cortador de cable, cable cutter
cortador de engranajes, gear cutter
cortador de hojas metálicas,
    sheet metal cutter
cortador de pernos, bolt cutter
cortador en frío, cold chisel
cortador rotario, rotary cutter
cortadora, cutter
cortadora de ranuras, groove cutter; slot cutter
cortadora en caliente, hot cutter; hot chisel
cortaespárragos, asparagus knife
cortafrío, cold chisel
cortafrío de bisel único, side chisel
cortafrío de herrero, blacksmith chisel
cortafrío de punta rómbica,
    diamond-nose chisel
cortafrio quitarrebabas, burr chisel
cortafrío ranurador, grooving chisel
cortahierro, cold chisel
cortasestos, hedge trimmer

cortatubos, pipe cutter; tube cutter

cortavidrios, glass cutter

corte por arco eléctrico, arc cutting

cosechadora, combine harvester

costras, scale (surface deposit)

crique, pawl

crisol, melting pot

cruceta, lug wrench (cross type)

cubo, bucket; socket (for bolts)

cubo con doce lados en el interior, twelve point socket

cubo con seis lados en el interior, six point socket

cubo de boca profunda, deep socket

cubo para bujías, spark plug socket

cuchara, scoop

cuchara vertidora, dump bailer

cucharón, bucket; dipper; dragline bucket

cucharón cargador, charging bucket

cucharón de almeja, clamshell bucket

cucharón de almeja de labios curvos, clamshell roundnose bucket

cucharón de descarga por abajo torno, drop-bottom bucket

cucharón sin fondo, bottomless bucket

cuchilla, blade

cuchilla de acepillar, planer knife

cuchilla niveladora, road scraper
cuchilla para ingletes, miter knife
cuchilla para masilla, putty knife
cuchilla zanjadora, ditcher blade
cuchillas, cutters
cuchillas para cortatubo, pipe cutter wheels
cuchillo, blade; knife
cuchillo de moldurar, molding knife
cuchillo de rajar, slitter knife
cuchillo de vidriero, putty knife
cuchillo para rayos, spokeshave
cuchillo serrucho, saw knife
cuello-de-ganso, wrecking bar
cuerda, rope
cuero crudo, rawhide
cumpuesto de cortar, cutting compound
cuña, key
cuña de fijación, peavy
cuña de talla, felling wedge
curvabarras, bar bender
curvadora, bender
curvadora de planchas,
    plate bending rolls

D

dado, die; socket

dado de barrena, jackbit

dado de resorte, prong die; spring die

dado de roscar, die

dados de cortar y de estampa,
cutting and stamping dies

dados de terraja, stocks and dies

dados para filete de perno, bolt dies

dados para rosca de tubería, pipe dies

dados para tornillos, bolt dies

desarmador, screwdriver

desarmador de impactos, impact screwdriver

desarmador o destornillador a crique,
ratchet screwdriver

desarmador o destornillador de joyero,
jeweler's screwdriver

desarmador o destornillador acodado,
offset screwdriver

desarmador o destornillador automático,
spiral screwdriver

desarmador o destornillador estándar,
standard screwdriver

desarmador o destornillador Phillip's,
Phillip's screwdriver

desarmador o destornillador recargable,
screwdriver (cordless, rechargable)

desatascador, plumber's friend

desbastadora de césped, lawn trimmer

descantilladora, chipper

desclavador, nail puller

descortezador, barking iron

desescamador, scaling chisel

desplantador, garden trowel

destapacaños con mango de madera,
    toilet plunger; plumber's friend

destornillador, screwdriver

destornillador de impactos,
    impact screwdriver

**destornillador o desarmador para tornillos
de una ranura,** flat bladed screwdriver

diente de engranaje, gear cog; gear tooth

diente de rueda, sprocket

dientes por pulgada, teeth per inch

disco esmerilador, grinding disc

disco flexible (computador),
    floppy disk (computer)

disco lijador, sanding disc

doblador de tubos, tube bender

dobladora, bender

dobladora de barras, bar bender

dobladora de tubos, pipe bender

E

eje, mandrel

eje de sierra, saw arbor; saw mandril

eje seccionado, splint axle

el tubo en Y, Y tube

eléctrodo, welding rod

electrosoldadura por puntos, spot welding

embutidor, nail set

embutidor de remaches, rivet punch

embutidora, shaper

empacadora de paja, hay bailer

encolado en zonas, spot glueing

enderazador de tubos, pipe straightener

enderezador de ejes, axle bending iron

enfriado por agua, water cooled

enfriar por inmersión, quench (hot metal)

enganche de parachoques, bumper hitch

enganche para remolque, towing hitch

engranaje, gear

engranaje cónico de dentadura espiral,
   spiral tooth bevel gear

engranaje en dos piezas, split gear

engrasador, grease gun

enrollador de manguera, hose reel

ensayador de compresión,
   compression tester

ensayador o probador de inducidos,
   armature tester

equilibrador de ruedas, wheel balancer

equipo de corte y soldadura,
   cutting and welding outfit

equipo de herramientas, tool kit

escamas, scale (surface deposit)

escarbador, plugging chisel

escariador, reamer

escariador de cojinetes, bearing scraper

escariador de estrías espirales,
   spiral fluted reamer

escariador de guía de válvula,
   valve guide reamer

escariador de tubos, pipe reamer

escariador desbarbador, burring reamer

escariador hueco, shell reamer

escariador para pasador, pin reamer

escoba para cesped, lawn rake

escobilla, brush (carbon, electrical)

escobillón, push broom

escobón, floor brush; large brush; push broom

escofina para madera, wood rasp

escopladora, mortising machine

escoplo, chisel

escoplo ancho de torno, slick chisel

escoplo angular, corner chisel

escoplo biselado, bevel chisel

escoplo calafateador, yarning chisel

escoplo de calafatear, calking chisel

escoplo de cantear, pitching tool

escoplo de mano, paring chisel
escoplo de torno, turning chisel
escoplo de vidriero, glazer's chisel
escoplo ranurador, cape chisel
escoplo separador, parting chisel
escrepa de empuje angular, angle dozer
escrepa hidráulico, hydraulic scraper
escuadra ajustable, caliper square
escuadra de combinación, combination square
escuadra para cabrios, rafter square
eslinga, sling
esmeril, emery
esmeriladora, grinder
esmeriladora de banco, bench grinder
esmeriladora de disco, disc grinder
esmeriladora de pie, pedestal grinder
esmeriladora de válvulas, valve grinder
esmeriladora o rectificadora de cigüeñales, crankshaft grinder
espaciadora de estiércol, manure spreader
esparciador de cascajo, chip spreader
esparciadora acabadora, spreader finisher
esparcidora de hormigón, concrete spreader
espátula, putty knife; spatula
espejo de ángulos, angle mirror
espiga cuadrada cónica, square taper shank

espiral, helix; spiral

espiroarrollado, spirally wound

esquadra, square

esquadra de espejos, angle mirror

esquarda de inglete, miter square

estampa de empatar, seaming die

estampa partida, split die

estampadora, stamping machine

estañosoldadura, soft solder

estopa de acero, steel wool

estopajo, steel wool

excavación orficio, hole

exposímetro, exposure meter

extractor, puller

extractor de bujes, bushing extractor

extractor de bujías, spark plug puller

extractor de cojinetes, bearing puller

extractor de engranajes, gear puller

extractor de piñón, pinion puller

extractor de ruedas, wheel puller

F

fabricadora de bloques de hormigón, concrete block machine

falsa escuadra, bevel gauge

farol indicator de obstáculo, obstruction light

ferretería, hardware; hardware store

filete triangular, V thread

fileteado, threaded

filo, blade edge

filo de cincel, chisel point

forja, forge

formadora de engranajes, gear shaper

formón, chisel; mortising chisel

formón de filo oblícuo, side chisel

formón de mano, paring chisel

formón de punta redonda, roundnose chisel

fragua para remaches, rivet forge

fresa, bit; hob; milling cutter

fresa de dientes escalonados,
   staggered tooth cutter

fresa de dientes espirales, spiral milling cutter

fresa de dientes heliocoidales,
   spiral tooth-milling cutter

fresa de disco, side cutter

fresa desbastadora, roughing cutter

fresa escariadora hueca, shell end mill

fresa madre, hob

fresa partidora, parting tool

fresa perfilada, profile cutter

fresa ranuradora, cotter mill

fresa semiesférica, rose mill

fresadora, milling machine

fresadora, shaper

fresadora cepilladora, milling planer

fresadora cilíndrica helicoidal, slabbing cutter

fresadora de husillos múltiples, multispindle milling machine

fresadora de superficie, slab miller

fresadora para levas, cam cutter

fresadora ranuradora, spline milling machine

fundente para soldar, soldering flux

G

gafas de protección, safety goggles

gafas de soldador, welding goggles

gálibo, jig

gálibo de inclinación, slope gauge

gancho, hook

gancho de empaque, packing hook

gancho de palanca, lifting hook

gancho de seguridad, safety hook

gancho de volteo, cant hook

ganzúa, hook wrench

garra, grip

gato, jack; lifting jack

gato a tornillo, screw jack

gato circular, circular jack

gato de cadena, chain jack

gato de cremallera, ratchet jack

gato de oreja, claw jack

gato de palanca, lever jack

gato de parachoques, bumper jack

gato de tirar, pulling jack

gato de tornillo, builder's jack; screw jack

gato de tornillo engranado,
  geared screw jack

gato hidráulico, hydraulic jack

gato izador, lifting jack

gato levantacoches, automobile jack

gato mecánico, mechanical jack

gato para carrete, cable reel jack

gato para remolque, towing jack

gato para respaldo al asiento, squab jack

gato rodante, car dolly; roller jack

gatón de pie alzador, foot-lift jack

generador al arco, arc generator

giraescariador, reamer wrench

goma, rubber

gradino, hot chisel

gramil para rebajos, rabbet gauge

grampa para soldar, brazing clamp

grapa, staple

grapadora, staple gun; stapler

grasa, grease

grifo de muelle, spring faucet

grúa, hoist

grúa de columna, pillar crane

grúa de edificación, builder's derrick

grúa de imán, magnetic crane

grúa de trasbordo, transfer crane

grúa giratoria, crane

guadaña para arbustos, brush scythe

guantes, gloves

guantes de goma, rubber gloves

guantes de soldador, welding gloves

guantes protectivos, protective gloves

guardapolea, pulley guard

gubia, gouge

gubia acodada, bent gouge

gubia de costado, inside tool

gubia de cuchara, spoon gouge

gubia de mano, paring gouge

gubia de torno, turning gouge

guía, guide; jig

guía de basculador de caja de camión, truck body rocker guide

guía de cable de arrastre, dragline fairlead

guía de caja de eje, axle housing guide

guía de capo, hood pilot

guía de corte, cutter guide; cutting guide

guía de trozar ingletes, miter cutoff gauge

guíacuchilla, blade guide

guillotina, shear

guillotina de palanca, lever shear

guillotina de papel, paper trimmer

guimbarda, rabbet plane; router

guinche, crane; hoist; hoisting engine

H

hacha, axe; hatchet

hacha para incendios, fire axe

helice, helix; propellor

hembra, female

hembra de terraja, die

henificadora giratoria, rotary tedder

herraje, hardware

herramienta biseladora, chamfering tool

herramienta centradora, spotting tool

herramienta de abocinar, flaring tool

herramienta de ahuecar, trepanning tool

herramienta de alineación de embragues o clutches, clutch alignment tool

herramienta de calafatear, caulking iron

herramienta de desmontar llantas, tire rim tool

herramienta de filetar, thread chaser

herramienta de inclinación de ruedas, camber tool

herramienta de plegar, crimping tool

herramienta de punta única, single point tool

herramienta de puntos múltiples, multipoint cutting tool

herramienta de recalcar, peening tool

herramienta descentrada, offset tool

herramienta estiradora o moleteadora, knurling tool

herramienta micrométrica para sierras, micrometer saw tool

herramienta para beselar, bevel tool

herramienta para esmerilar válvulas, valve grinding tool

herramienta recortadora, cutting tool

herramienta sujetadora de cable coaxial, coaxial crimper

herramienta sujetadora de terminales, crimping tool

herramientas de torno, lathe tools

herramientas manuales, hand tools

herramientra centradora, centering tool

hincadora de postes, post driver

hoja, blade; leaf

hoja con filo en hélice, spiral-edge blade

hoja de cuchillo, knife blade

hoja de guardaña, scythe blade

hoja de sierra, saw blade

hoja de sierra circular, circular saw blade

hoja de sierra circular de dientes de carburo, carbide-tipped circular saw blade

hoja de sierra circular para cortar triple, circular saw blade for plywood

hoja de sierra para metales, hacksaw blade

hoja de sierra sinfin, bandsaw blade

hormigonera pavimentadora, paving mixer

horno al crisol, pot furnace

horno del arco, arc furnace

horquilla elástica, spring fork

hoyo, hole

hule, rubber

husillo, mandrel

husillo de torno, lathe spindle

I

imán, magnet

imán anular, ring magnet

imán compensador, compensating magnet

imán de campo, field magnet

imán de herradura, horseshoe magnet

imán izador, lifting magnet

impresora de computador, computer printer

impulsor, impeller

incrustación, scale (surface deposit)

indicador de compresión, compression gauge

indicador de dureza, hardness indicator

indicador de pendiente, slope meter

indicador de profundidad, depth gauge

indicador de torsión, torque gauge

indicador de vacío, vacuum gauge

insertador de émbolo, piston inserter

invernadero, greenhouse; hothouse

inyector de lodo, mud gun

izador, lifting jack

J

juego de cubos o de dados, socket set

juego de desarmadores o de destornilladores, screwdriver set

juego de herramientas de alineación, alignment tool set

juego de llaves para tuercas, nut driver set

juego de machuelos y tarrajas, tap and die set

lámpara de cuarzo y yodo, quartz iodine lamp
lámpara de prueba, test light
lámpara para linterna, flashlight bulb
lampazo de goma, squeege
lanza de manguera, hose nozzle
lápiz, pencil
lápiz de carpintero, carpenter's pencil
laya, spade
lesna, awl
lesna de marcar, marking awl; scratch awl
levantador de automóviles, auto hoist
levantador de automóviles o coches, car lift
levantador hidráulico, power lift
levantar con gato, jack up
ligadora, binder
lijadora, sander
lijadora de banda o correa, belt sander
lijadora de disco, disc sander
lijadora de husillo, spindle sander
lijadora de tambor, drum sander
lijadora orbital al azar, random orbit sander
lijadora-pulidora, sander-polisher
lima, file
lima ahusada delgada, slim taper file
lima bastarda, bastard file
lima cilíndrica, gulleting file; round file

lima cuadrada puntiaguda, square taper file
lima cuchillo, slitting file
lima curva de chapista, shell file
lima de aguja, needle file
lima de cantos redondos, round edge file
lima de cerrajero, key file
lima de cola de rata, rattail file
lima de cuchilla, back file
lima de cuchillo, slitting file
lima de cuña con canto redondo,
  great American file
lima de desbastar, coarse file
lima de deslustrar, tarnishing file
lima de dientes finos, double cut file
lima de doble talla, double cut file
lima de dos colas, double tang file
lima de ebanista, cabinet file
lima de espada, slitting file
lima de hender, slitting file
lima de navaja, knife file
lima de picadura cruzada, double cut file
lima de segundo corte, second cut file
lima de sepada, featheredge file
lima de talla dulce, smooth cut file
lima de tornero, lathe file
lima delgada, slim file

lima eléctrica de mano, power file (handheld)
lima encorvada, bow file; riffler
lima gruesa, coarse file
lima musa, smooth file
lima ovalada, crossing file
lima para entredientes, gulleting file
lima para madera, wood file
lima para sierra, saw file
lima plana, flat file
lima ranuradora, slotting file
lima redonda puntiaguda, round taper file
lima rotatoria, rotary file
lima superfina, superfine file
lima tesa, angle rafter
lima triangular, triangular file
limadora, power file; shaper
limatón, coarse file; rasp
linterna, flashlight
llana acodada, angle trowel
llave, key; wrench
llave a crique, ratchet wrench
llave acodada, angle wrench; offset wrench
llave ahorquillada, pin spanner
llave Allen, Allen wrench
llave angular,
    obstruction wrench; offset wrench

llave cerrada, box end wrench

llave cerrada a crique o de chicharra o de trinquete, ratcheting box wrench

llave de berbiquí, brace wrench

llave de boca, open end wrench

llave de boca adjustable, adjustable wrench

llave de cadena, chain wrench

llave de casquillo, socket wrench

llave de chicharra, ratchet wrench

llave de choque, impact wrench

llave de cincha, girth pipe wrench

llave de cola, fitting up wrench; spud wrench

llave de correa, strap wrench

llave de cuadro, square wrench

llave de cubo, socket wrench

llave de dos bocas, double end wrench

llave de espiga, pin wrench

llave de gancho, hook wrench

llave de gancho con espiga, pin spanner

llave de grifo, cap key wrench

llave de horquilla, fork wrench

llave de impacto, pneumatic wrench

llave de manguera, hose wrench

llave de maqinista, open end wrench

llave de mordaza, Alligator wrench;
    bulldog wrench

llave de mordaza renovable, renewable jaw wrench

llave de paletón, bit key

llave de pernete, pin wrench

llave de quijadas de caimán, bulldog wrench

llave de talón, clawfoot spanner

llave de torsión, torque wrench

llave de tubería, pipe wrench

llave de tubos, pipe wrench

llave de una boca, single end wrench

llave dentada, alligator wrench; bulldog wrench

llave doble, double end wrench

llave española, box end wrench; open end wrench

llave espitera, square wrench

llave hexagonal, Allen wrench

llave inglesa, Stillson wrench; monkey wrench

llave neumática, impact wrench; percussion wrench; pneumatic wrench

llave para aros de rueda, wheel rim wrench

llave para bujías, spark plug wrench

llave para espita o robinete, cock wrench

llave para hidrantes, hydrant wrench

llave para mandril, chuck wrench

llave para martillar, sledging wrench

llave para pernos y tuercas, wrench

llave para rincones, obstruction wrench

llave para tornillo de presión, setscrew wrench

llave para tuercas, nut driver

llave semifija, adjustable wrench

llave sencilla o simple, single end wrench

llave Stillson, Stillson wrench; pipe wrench; monkey wrench

llave tenedor, fork wrench; pin spanner

lote de producción, production run

loza de azotea, roof slab

lubricación a presión, pressure lubrication

lubricante silicónoco, silicone lubricant

M

maceta, mallet; maul

maceta de calafatear, caulking mallet; reeming beetle

machihembrador, tongue and groove cutting machine

macho, male

macho acabador, finishing tap; sizer tap

macho de aterrajar, thread cutting die

macho de espiga acodada, bent-shank tap

macho de expansión, collapsable tap

macho de fragua, blacksmith sledge

macho de gancho, hook tap

macho de husillo, spindle staybolt tap

macho de peines insertados,
  inserted chaser tap

macho de perno, bolt tap

macho de teraja, screw tap

macho de tornillo, screw tap

macho desbastador, roughing tap

macho escalonado, step tap

macho maestro de roscar, hob; master die

macho para rosca de tubería, pipe tap

macho para tuercas, nut tap

macho paralelo, straight tap

machos de serie, serial taps

machuelo, tap

malacate, crab; hoist; hoisting engine

malacate de arrastrar, towing winch

malacate de tres tambores, bull winch

malacate impulsado por correa, belt hoist

malacate neumático, air hoist

malacate situador, spotting winch

mallete, mallet

mandado por presión, pressure-operated

mandil, apron

mandil de cuero, leather apron

mandril, chuck; mandrel; pneumatic chuck

mandril ahorquillado, fork chuck

mandril automático para macho, automatic tapping chuck

mandril de boca, drill chuck

mandril de copa, pot chuck

mandril de expansión, expander chuck; elastic chuck

mandril de púas, prong chuck; spur chuck

mandril de torno, lathe chuck

mandril de tuerca, nut mandrel

mandril electromagnético, magnetic chuck

mandril enroscado, screw chuck

mandril flotante, floating chuck

mandril neumático, air chuck

mandril universal, universal chuck

mandriladora, broaching machine

mango, handle

mango de hacha, axe handle

mango de herramienta, tool handle

mango de lima, file handle

mango de martillo, hammer handle

mango de pistola, pistol grip

manguera, hose

manguera de aire, air hose

manguera de aire comprimido, compressed air hose

manija, handle

mano de pintura, coat (of paint)

manómetro de aire,
air gauge; air pressure gauge

manómetro de compresión,
compression gauge

manómetro de diafragma, diaphragm gauge

manómetro de neumáticos, tire gauge

manómetro de presión, pressure gauge

manómetro de presión de aceite,
oil pressure gauge

manómetro de presión de combustible, fuel
pressure gauge

manómetro de presión de gasolina, gasoline
pressure gauge

manual de instrucciones,
instruction manual

máquina acabadora, finishing machine

máquina biseladora, beveling machine

máquina cortadora de ángulares,
angle cutting machine

máquina cortadora de engranajes,
gear cutting machine

máquina de achanflar, chamfering machine

máquina de arrastre, traction engine

máquina de chorro de arena, sandblaster

máquina de cortar, cutting machine

máquina de cortar y enroscar tubos, pipe
   cutting and threading machine

máquina de enmuescar,
   mortising machine

máquina de enroscar, threading machine

máquina de ensayo de encendido,
   ignition tester

máquina de equilibrar, balancing machine

máquina de esmerilar cigüeñales,
   crankshaft grinding machine

máquina de forjar y recalcar,
   forging and upsetting machine

máquina de labrar madera,
   wood working machine

máquina de limpiar a vapor,
   steam cleaning machine

máquina de perforar, perforating machine

máquina de ranurar, slotting machine

máquina de taladrar, boring machine;
   drilling machine

máquina de tornear, lathe; turning machine

máquina desforradora, brake lining remover

máquina dobladora, bending machine

máquina equilibradora, balancing machine

máquina esmeriladora, honing machine

**máquina formadora de dientes de
engranajes,** gear teeth shaper

máquina herramienta, machine tool

máquina herramienta de mandril,
chucking machine

máquina lubricadora,
lubricating machine (luber)

máquina para afilar barrenas, bit dresser

máquina para cortar engranajes,
gear shaper

máquina para enderezar tubos,
tube straightener

máquina para fabricar tornillos,
screw-making machine

máquina para hacer listones y tabillas,
slat machine

máquina para probar frenos, brake tester

máquina para pulir cilindros,
cylinder honing machine

máquina para rectificar cilindros,
cylinder boring machine

máquina para zunchar inducidos,
armature bander

máquina perforadora, boring machine;
perforating machine

máquina plegadora de chapa metálica, sheet
metal brake

máquina rebordeadora, flanging machine

máquina reforzadora, booster engine

máquina remachadora, riveting machine

máquina sopladora, blowing engine

máquina zanjadora, trencher

maquinaria, machinery

maquinaria para manejar cenizas, ash handling machinery

marco de sierra, saw frame

marona, rope

martillo de cuero crudo, rawhide mallet

martillo, hammer

martillo burilador, chipping hammer

martillo cincelador, chipping hammer

martillo de acanalar, creasing hammer

martillo de ajustador, machinist's hammer

martillo de ajuste, bench hammer

martillo de bola, ball-peen hammer

martillo de caída libre, drop hammer

martillo de calafatear, caulking hammer

martillo de carpintero, claw hammer

martillo de chapista, raising hammer

martillo de cotillo convexo, bell-faced hammer

martillo de dos cotillos, double-face hammer

martillo de estriar, creasing hammer

martillo de forja, blacksmith hammer

martillo de fundidor, flogging hammer

martillo de hojalatero, raising hammer; sheet metal hammer

martillo de madera, beetle; wooden mallet

martillo de marcar, stamping hammer

martillo de metal blanco, babbit hammer

martillo de orejas, claw hammer

martillo de punta, cavil

martillo de rebordes, seam hammer

martillo de recalcar, swaging hammer

martillo de uña, claw hammer

martillo de uña recta, ripping hammer

martillo de vidriero, glazer's hammer

martillo desabollador, bumping hammer

martillo desincrustador, scaling hammer

martillo escarpiador, spiking hammer;
spike maul

martillo hincador de tablestacas,
sheeting hammer

martillo macho, sledge hammer

martillo neumático, air hammer;
pneumatic hammer; jackhammer

martillo para clavitos o puntillas,
brad hammer

martillo perforador, jackhammer

martillo pilón, trip hammer

martillo remachador, riveting hammer

martillo rompedor, paving breaker

martilo pilón, steam hammer

martinete, pile driver; pile hammer

martinete de resorte, spring hammer

máscara contrapolvo, dust mask

masilla, putty

matafuegos, fire extinguisher

matrices cerradas, closed impression dies

matrices múltiples, multiple dies

matriz, die

matriz bruñidora, burnishing die

matriz colocadora, gauge die

matriz combinada, combination die

matriz compuesta, compound die

matriz de bombear, bulging die

matriz de cizallador, shearing die

matriz de comparación, master die

matriz de corte, cutoff die

matriz de división, index die

matriz de doblar, bending die

matriz de doblar compuesta, compound bending die

matriz de estampa, stamping die

matriz de punzonar, blanking die

matriz de remachar, riveting die

matriz de tamaño, gaging block

matriz encabezadora, heading die

matriz maestra, master die

matriz para forjar, forging die

matriz partida, split die

matriz patrón, master die

matriz perforadora,
perforating die; piercing die

matriz rebordeadora, curling die

matriz recortadora, trimming die

maza de martinete, drop hammer; pile hammer

maza de vapor, steam hammer

maza para hincar postes, post maul

maza trituradora, bucking hammer

mazo, maul

mecha, bit; drill bit; broach

mecha centradora, center drill

mecha cilíndrica, straight-shank twist drill

mecha cónica, taper shank twist drill

mecha de barrena, auger bit

mecha de cuchara, spoon bit

mecha de discos, disc bit

mecha de electricista, electrician's bit

mecha de expansión, expansion bit

mecha de mediacaña, shell bit

mecha de paso corto, high helix drill

mecha de punta chata, flat drill

mecha tubular, tube drill

mediador de audibilidad, sound level meter

mediador de buzamento, dip meter

mediador de fases, phase meter

mediador de iluminación, light meter

mediador de pies-bujías, foot candle meter

mediador Venturi, Venturi meter

medida, gauge; rule; measurement

medida con calibrador, caliper rule

medidor de ángulo, angle meter

medidor de capacitancia, capacitance meter

medidor de deformación, strain gauge

medidor de esfuerzo, stress meter

medidor de flujo, flowmeter

medidor de intensidad luminosa,
brightness meter

medidor de profundidad, depth gauge

medidor de roscas, screw pitch gauge

mesa de ayustar, splicing bench

mesa giratoria, revolving table

metro plegable, carpenter's rule

mezcladora, mixer

mezcladora de concreto, concrete mixer

mezcladora pavimentadora, paving mixer

micrómetro, micrometer

micrómetro de medida externa,
outside micrometer

micrómetro de profundad,
micrometer depth gauge

micrómetro de roscas,
screw thread micrometer

micrómetro exterior, outside micrometer

micrómetro para filetes,
screw thread micrometer

micrómetro para interiores,
inside micrometer

moldadura exterior, outside molder

moldaduradora interior, inside molder

molde de curvar, bending form

molde de doblar, bending form

molde de matrizar, die mold

molduradora, molding machine

moleadora de bolas, ball grinder

moleta, dresser; knurling tool

moleta de diamante, diamond dresser

moletador, dressing tool

molinete, gin; Spanish windlass

molino, grinder

molino a martillos, hammer mill

molino a tambor, barrel mill

molino balero, ball mill

molino de cabillas, rod mill

molino de cilindros, roller mill

molino de mazos, stamp mill

molino de rulos, roll crusher

molino de tubos, tube mill

molino titurador, crushing mill

mollejón, grindstone

monitor de computador, computer monitor

montacarga, hoist

montacarga de cadena, chain hoist

montacargas mecánico, power winch

montaje, jig

mordaza, clamp; grip; jaw

mordaza de armarrar, splicing clamp

mordaza de articulación, hinge jaw

mordaza de cobre, copper jaw clamp

mordaza de plomo, lead jaw clamp

morsa, vise

morsa de ángulo, angle vise

morsa de mano, hand vise

morsa de máquina herramienta, machine tool vise

morsa de pie, leg vise

morsa giratoria, swivel vise

morsa parallela, parallel vise

mortajadora, mortising machine

motocabrestante, power winch

motogenerador, motor generator

motogrúa, tow truck; truck crane

motón, block; pulley block; pulley

motón corredizo, buggy block

motón de amantillar, topping block

motón de dos ejes con poleas diferenciales, fiddle block

motón de gancho, hoist block

motón de garruches múltiples, multisheave block

motón y aparejo, block and tackle

mouse o ratón de computador, computer mouse

muela pulidora, polishing wheel

muela ranuradora, spline grinder

muñeca, lathe poppet

muñeca coridiza de torno, tailstock of lathe

muñeca fija (detorno), headstock of lathe (de torno)

N

navaja dobladora de bolsa, jackknife; pocket knife

nivel basculante, tilting level

nivel con plomada, plumb level

nivel de agricultor, farm level

nivel de antijo corto, dumpy level

nivel de burbuja, bubble level; spirit level

nivel de carpintero, carpenter's level

nivel de control, control level

nivel de cuerda, line level

nivel de hormigonado, lift line

nivel de horquetas, Y level

nivel de mano, hand level

nivel de mira, rod level

nivel de nonio, vernier level

nivel de plomar, rod level

nivel de prisma, prism level

nivel de torpedo, torpedo level

nivel para constructor, builder's level

nivel probador de ángulo recto,
    quartering level

niveladora de arrastre, drawn grader

niveladora de camino, road scraper

niveladora de empuje angular, bulldozer

niveladora de remolque, trail grader

niveladora de ruedas inclinables,
    leaning wheel grader

niveladora elevadora, elevating grader

nuez, drill chuck

O

ohmiómetro, ohmmeter

ojo, hole; eye

opresor, setscrew

opresor de cubo ranurado,
    fluted socket setscrew

opresor de macho largo,
    full dog point setscrew

opresor de punta chata, flat point setscrew

opresor de punto ahuecado, cup point setscrew

opresor hueco, socket setscrew

oreja o vertadero del arado, moldboard

orficio, hole

P

pala, shovel

pala a vapor, steam shovel

pala aplanadora, skimmer scoop

pala de arrastre, drag scraper

pala de arrastre giratoria, rotary scraper

pala de azadón, backdigger

pala de cable de arrastre, cable scraper; dragline scraper

pala de camión, truck shovel

pala de chuzo, round point shovel

pala de cuchara, scoop shovel

pala de fuerza, power shovel

pala de ruedas, wheeled scraper

pala de tractor, dozer; tractor shovel

pala flotante, dipper dredge

pala hidráulica, hydraulic scraper

pala mecánica, power shovel

pala neumática, air spade

pala para hoyos, posthole digger

palanca, lever

palanca de pedal, pedal arm

paleta acabadora, finishing trowel

paleta de amasar, gauging trowel

palín, spade

palo de arrastre, backdigger

palo de reverso abierto, hollow-back shovel

palustre, bricklayer's trowel

pantalla de computador, computer screen

papel de esmeril, emery paper

papel de granate, garnet paper

papel de lija, sandpaper

partidora de hormigón, paving mixer

pasador de chaveta, cotter pin

paso de tornillo o perno, screw pitch

pasta de esmeril, emery compound

pata de cabra, crowbar; pry bar

patrón, jig; template

patrón de agujerar, drilling template

patrón de montaje, assembly jig

patrón de taladrar, drill jig

pedal, pedal

pedestal para montaje de ejes,
    axle assembly stand

pedestal para motores, engine stand

peine de roscar, screw chaser

pelador de alambres, wire strippers

perfiladora, profiling machine

perforación de arrastre, sprocket hole

perforadora, drill press

perforadora de martillo, hammer drill

perforadora neumática,
    jackhammer; pneumatic drill

perforadora o taladro para lugar angosto o estrecho, close quarter drill

pernillo de cabeza de hongo ranurada,
    round head stove bolt

perno prisonero de punta cónica,
    cone-point setscrew

perro de torno, lathe dog

picadora, chipper

pico cortador, cutting tip

pico de acuñar, railroad pick

pico de cuervo, ripping iron

piedra afiladora de hachas, axe stone

piedra aguzadora, whetstone

piedra de aceite, oilstone

piedra de afilar, sharpening stone

piedra de amolar, grindstone

piedra de asentar, hone

piedra de cuña para afilar, slip stone

piedra de esmeril, emery stone

piedra india, India stone

piedra pómez, pumice stone
piedra pulidora, polishing stone
pila, dry battery; dry cell
pincargadoras, carrying tongs
pincel, artists brush
pincel de pelo de camello, camelhair brush
pinza hendida o partida, split collet
pinzas, pliers; pincers; tongs; tweezers
pinzas ajustables, adjustable pliers
pinzas con corte delantero, end-cutting pliers
pinzas cortantes, cutting pliers
pinzas de batería, battery pliers
pinzas de caimán o largato, alligator grab
pinzas de combinación, combination pliers
pinzas de corte, sidecutters
pinzas de presión, locking pliers
pinzas de punta, long nose pliers
pinzas de resorte, spring pliers
pinzas punzadores, punch pliers
piqueta, pickaxe
pisionador de impacto, impact tamper
pisón, beetle; ram; tamper
pisón de martillo, hammer tamper
pisonador de relleno, backfill tamper
pistola de aceite, pistol oiler
pistola de engrase, grease gun

pistola de enjuage, flushing gun

pistola de pulverización, atomizer

pistola de rociar, spray gun

pistola remachadora, rivet gun

pistola rociadora de pintura, paint gun

pistola selladora, caulking gun

pistola soplete, blowtorch

pistola vaporizada, atomizer

pitón, nozzle

plana, plasterer's trowel

planca de avance, advance lever

plantador, dibber

plantilla, jig; template

plantilla con abrazadera , clamp jig

plantilla de comprobación, control template

plantilla de corredera, slotted template

plantilla de curva, irregular curve

plantilla de curvar, bending jig

plantilla de espesor,
    feeler gauge; thickness gauge

plantilla de filetar, screw chaser

plantilla de límite, limit gauge

plantilla de mano, hand template

plantilla de montaje, assembly jig

plantilla de muescar, gaining template

plantilla de prueba, check template

plantilla de radio, radius gauge

plantilla de rotular, lettering guide

plantilla de soldador, welding jig

plantilla de taladrar, drilling template

plantilla mecánica, mechanical template

plantilla multiple, combination jig

plantilla para brocas, drill grinding gauge

plantilla para filete, thread pitch gauge

plantilla para puntos, center gauge

plantilla para roscas, screw pitch gauge

plantilla rayadora, scratch template

plataforma de elevación hidraúlica,
    floor jack

plataforma rodante, dolly

plato campana, bell chuck

plato combinado, combination chuck

plato de agujero simple, bar chuck

plato de ajuste espiral, spiral chuck

plato de mordazas independientes,
    independent chuck

plato de torno,
    faceplate of lathe; lathe chuck

plato para óvalos,
    elliptic chuck; oval chuck

plato universal, universal chuck

plegador, crimping tool

plegador de tubos, pipe crimper

plegadora de planchas, plate bending machine

plomada, plumb bob

pluma de grúa, crane boom; derrick boom

pluma para cable de arrastre, dragline boom

polea, pulley; spindle

polea escalonada, spindle cone

porra, sledge hammer

porta mandril, chuck plate

portaacumulador, battery carrier

portabarrena, bit holder

portabroca, chuck

portabrocas o portacuchillas, cutter head

portaescariador, reamer chuck

portahembra o portamatriz, die holder

portamecha, chuck

portaplaca, plate holder

portaplato, chuck plate

poste grúa, pedestal crane

precalentar, preheat

prefatigado, prestressed

prendas de protección, protective clothing

prensa a cadena, chain vise

prensa comformadora, forming press

prensa de banco, bench vise

prensa de cancillo, cantilever press

prensa de cojinetes, bearing press

prensa de columna, column press

prensa de cremallera, rack and pinion press

prensa de doblar, bending press

prensa de ejes, axle press

prensa de estampar, stamping press

prensa de estirar, stretching press

prensa de forjar, forging press

prensa de formar, forming press

prensa de hojas fijas, stationary leaf press

prensa de husillo, arbor press

prensa de leva, cam press

prensa de madera, carpenter's clamp;
wood working vise

prensa de palancas acodilladadas,
toggle press

prensa de pedal, foot press

prensa de resorte, spring clamp

prensa de rótula, toggle press

prensa de taladro, drill press

prensa de tornillo, screw press; vise

prensa de volante, fly press

prensa dobladora,
bending press; crimping press

prensa enderezadora, straightening press

prensa escariadora, broaching press

prensa forzadora, forcing press

prensa hidráulica, hydraulic press

prensa ladrillera, brick press

prensa manual, handclamp

prensa moldeadora, molding press

prensa para canería o tubería, pipe vise

prensa para afilar sierras, saw clamp; saw vise

prensa para soldar, brazing clamp

prensa perforadora, piercer press

prensa punzonadora, punch press

prensa rebordeadora, flanging press

prensa sacaperno, bolt press

prensa sujetadora, vice chuck

prensaestopas, packing nut

pretratamiento, pretreatment

primera mano, priming coat (of paint)

prisionera de punta ovalada, round point setscrew

probador, probe; tester

probador de acumuladores o baterías, battery tester

probador de alineación, alignment tester

probador de bobina de encendido, ignition coil tester

probador de circuito, circuit tester

probador de combustión, combustion analyzer

probador de frenos, brake tester

probador de generador, generator tester

probador de rebote de muelle,
spring rebound tester

probador de regulador, regulator tester

probador de tensión, voltage tester

probar en obra, spotcheck

programa de computador, computer program

propulsión neumática, air drive

pulidor de cilindros, cylinder hone

pulimentadora, lapping machine; polisher

pulimentadora de engranajes,
gear lapping machine

pulverizador, sprayer

pulverizador para insecticida,
insecticide sprayer

punta de centrar, spotting drill

punta de espuela, spur center

punta de torno, lathe center

punta de trazar, marking awl

punta de vidriar, glazer's point

puntal inclinado, spur brace

puntas de prueba, test prods

puntero, pointing chisel

punto de centrar, lathe center

punzador, punch

punzón, drift; gad; graver

punzón aflojador, starting punch

punzón autocentrador,
  self-centering center punch

punzón botador, pin punch

punzón cortador o de corte, cutting punch

punzón de brocas, bit punch

punzón de centrar, centerpunch

punzón de plegar, bending punch

punzón de resorte, spring punch

punzón para chavetas, key driver

punzón para clavitos o puntillas, brad punch

punzón para clavos, nail set

punzón para correas, belt punch

punzón para empaquetaduras, gasket punch

punzón para espigas, shank punch

punzonador, blanking punch

punzonadora de palancas, lever punch

punzonzdora de tubos, casing perforator

Q

quebradora de mandíbulas, jaw crusher

quebradora o trituradora de cono,
  cone crusher

quemador de acetileno, acetylene burner

quitabujes, bushing puller

quitacostra, scale remover

quitador, extractor; puller; remover
quitanieve, snow plow
quitanieve rotatorio, rotary snow plow

R

raedera, spokeshave
rampa, ramp
ransportador acanalado, troughing conveyor
ranura de tornillo, screw slot
ranurador, router
ranuradora, grooving machine
rascador de carbón, carbon scraper
raspa, rasp
raspa lateral, side rasp
raspacojinetes, bearing scraper
raspadera, spokeshave
raspador, scraper
raspador de correas, belt scraper
raspador de media caña, fluted scraper
raspador de tubería, tube scraper
raspapintura, paint scraper
rasquete triangular, painter's triangle
rastra de dientes de resorte o rastrillo de dientes flexibles, spring-tooth harrow
rastrillo, rake
rastrillo de malezas, brush rake

rastrillo para cesped, lawn rake

rastrillo para heno, hay rake

rastro para papas, potato rake

reaserradero sinfin, bandsaw

rebabeadora, chipping hammer

rebajador de inducido, armature undercutter

recogedor de virutas, chip pan

recortador de pernos, bolt cutter

recortadora, cropping machine

rectificadora de precisión, precision grinder

rectificadora de pedestal, reductor

rectificador de sierras, saw grinder

rectificadora, honing machine;
regrinding machine

rectificadora al tamaño, sizer

rectificadora de cilindros, reboring machine

rectificadora de cristales, glass grinder

rectificadora de émbolos o pistones,
piston turning machine

rectificadora de engranajes, gear grinder

rectificadora de esmeriladoras,
emery wheel dresser

rectificadora de pedestal, pedestal grinder

rectificadora de puntas de torno,
lathe center grinder

rectificadora de superficies, refacer

reductor, reducing sleeve

reductor cónico, taper reducer

reductor cónico excéntrico,
eccentric taper reducer

reductor de cubo de llave,
socket wrench reducer

**reductor de velocidad a engranaje
conicohelicoidal,** spiral-bevel-gear speed
reducer

**reductor de velocidad a engranaje
helicoidal de tornillo sinfin**,
helical worm gear speed reducer

reemcauchadora, tire recapping mold

refrentadora, refacer

regadera, watering can

regadora, sprinkler

regadora giratorio, revolving sprinkler

regadora ocilatoria, oscillating sprinkler

regla, rule; ruler

regulador de presión, pressure governor

remolque, trailer

remolque volquete, tip-up trailer

removedor de barniz, varnish remover

resorte amortiguador, relief spring

resorte de alambre tubular,
tubular spring

resorte de cremallera, ratchet spring

resorte espiral, coil spring

resorte reactor, return spring

resorte retenedor, retainer spring

respirador, respirator

retroexcavador, backdigger

riego por aspersión, spray irrigation

robot industrial, industrial robot

rociador, sprayer; sprinkler

rociador de pintura, paint sprayer

rojo de pulir, rouge

romperremaches, rivet buster; slogging chisel

rosca, nut; thread

rosca de 29, acme thread

rosca de perno, bolt thread

roscado, threaded

roscadora, threading machine

roscadora de tuercas, nut threading machine

roscadora para tubería, pipe threader

rueda de bruñir, burnishing wheel

rueda dentada, ratchet

rueda dentada de cadena, sprocket

rueda en cruz, star wheel

rueda pulimentadora, buffing wheel

S

sable, saber saw

sacabarrena, drill bit extractor

sacabocado, hollow punch; socket punch

sacabocado a tenaza, revolving punch
sacabujes, bushing extractor; bushing puller
sacacabeza, cylinder head puller
sacachavetas, key driver
sacachinche, tack puller
sacaclavos, nail puller
sacaclavos de horquilla, claw bar
sacacubo, hub puller
sacaculata, cylinder head puller
sacaengranajes, gear puller
sacamacho, tap extractor
sacamanguito, sleeve puller
sacamechas, drill bit extractor
sacanúleos, core extractor
sacapasador, cotter pin puller
sacapernos, bolt press; stud puller
sacapiñón, pinion puller
sacapintura, paint scraper
sacarruedas, wheel puller
sacatuercas, nut extractor
sargento, clamp
sargento de cadena, chain vise
sargento de madera, carpenter's clamp
segadora agrivilladora, swath reaper
segueta, fret saw; hacksaw; keyhole saw
segueta mecánica, power hacksaw

segueta para arco, hacksaw blade
segueta para hierro, hacksaw blade
sellador, sealant
sembrador, sower
sembradora de chorillo, seed harrow
sensible a la presión, pressure-sensitive
sensor óptico, optical sensor
sensor ultrasónico, ultrasonic sensor
serrucho, saw
serrucho calador de metales,
   keyhole hacksaw
serrucho caladora, coping saw
serrucho de calar, hole saw
serrucho de calar o de punto,
   compass saw
serrucho de dientes finos, panel saw
serrucho de hacer espigas, dovetail saw
serrucho de lomo ahuecado, skew-back saw
serrucho de lomo recto, straight-backed saw
serrucho de machihembrar, dovetail saw
serrucho de punta, keyhole saw
serrucho de través, crosscut saw
serrucho de triple oficio, triple duty saw
serrucho de trozar, hand crosscut saw
serrucho para cortar a inglete, miter saw
serrucho para modelador, pattern maker's saw

serrucho para pisos, flooring saw

sierra topadora, butting saw

sierra, saw

sierra alternativa, reciprocating saw

sierra cabrilla, whipsaw

sierra caladora, fret saw; keyhole saw; jigsaw; scroll saw

sierra caladora eléctrica, reciprocating saw

sierra cilíndrica, barrel saw; saw drill; tube saw

sierra circular, circular saw; buzz saw

sierra circular de banco, bench saw

sierra circular oscilante, wobble saw

sierra colgante, swing saw

sierra contorneadora, turning saw

sierra cortametales, hacksaw

sierra de cadena, chainsaw

sierra de cantar, edging saw

sierra de colimpio, swing saw

sierra de contonear, sweep saw

sierra de cortar a lo largo, ripsaw

sierra de cortar metales, hacksaw

sierra de corte ancho, rack saw

sierra de costilla, backsaw

sierra de dientes postizos, inserted tooth saw

sierra de dimensión, dimension saw

sierra de hender, ripsaw

sierra de hender en bisel, bevel ripsaw

sierra de hilar, hand ripsaw; ripsaw

sierra de lomo, backsaw

sierra de lomo curvo, hollow-back saw

sierra de poda, pruning saw

sierra de reserrar, resaw

sierra de tapón, plug saw

sierra de tiro, dragsaw

sierra de trasdós, backsaw

sierra de trozar, crosscut saw

sierra de trozar en bisel, bevel cutoff saw

sierra de tumbar, felling saw

sierra de vaivén, shuttle saw

sierra elíptica, drunken saw

sierra excéntrica, wobble saw

sierra manual, handsaw

sierra mecánica para metales,
     power hacksaw

sierra para contornear, turning saw

sierra para metales calientes, hot saw

sierra para ranurar, slitting saw

sierra perforadora, hole saw

sierra ranuradora, grooving saw

sierra sin fin, bandsaw

sierra sin fin para metales,
     metal-cutting bandsaw

sierra circular de banco, table saw

sinfín y rodillo, worm and roller

sistema de regado, sprinkler system

soga de remolque, tow rope

soldadora de arco, arc welder

soldadora de puntos, spot welder

soldadora de puntos múltiples,
multiple spot welder; multipoint welder

soldadura, welding

soldadura 60/40, solder (60/40)

soldadura autógena, acetylene welding

soldadura con núcleo ácido,
acid core solder

soldadura con núcleo de resina,
rosin core solder

soldadura de arco con latón, arc brazing

soldadura de inducción con latón,
induction brazing

soldadura de plata, silver brazing; silver solder

soldadura en espiral, spiral welding

soldadura fuerte, hard solder

soldadura fuerte por inducción,
induction brazing

soldadura oxiacetilénico, oxyacetylene welding

soldadura oxihidrógeno, oxyhydrogen welding

soldar por puntos, spot weld

sonda cilindrica, gauge rod

sonda de cable, cable drill

sonda de corona, core drill

sonda de corona dentada, calyx drill

sonda de diamantes, diamond drill

sonda de tierra, earth auger

soplador, air blower; blower

soplador de aserrín, sawdust blower

soplador de forja, forge blower

soplador de nieve, snow blower

soplete, torch

soplete de arena, sandblaster

soplete de butano, butane torch

soplete de gasolina, blowtorch

soplete de hidrógeno, hydrogen torch

soplete de hidrógeno atómico,
   atomic hydrogen torch

soplete de propano, propane torch

soplete de soldadura, welding torch

soplete de vidreros,
   glassblower's pipe or tube

soplete oxiacetilénico, oxyacetylene torch

soplete oxihidrógeno, oxyhydrogen blowpipe

sujetador de clavo, nail anchor

T

tajadera, chisel; rivet buster

tajadera de yunque, anvil chisel

tajadera en caliente, hot chisel

taladradora, boring machine; drill press

taladradora de columna, post drill

taladradora de plantillas, jig borer

taladradora múltiple,
multiple spindle boring machine

taladradora multiradial, multiradial drill

taladradora radial, radial drill

taladradora-torneadora,
boring and turning machine

taladro, drill

taladro de adjuste lateral, traverse drill

taladro de banco, bench drill

taladro de cadena, chain drill

taladro de diamantes, diamond drill

taladro de empuje, push drill

taladro de mano, hand drill

taladro de pecho, breast drill; fiddle drill

taladro de percusión,
hammer drill; percussion drill

taladro de poste, post drill

taladro de rotación, rotary drill

taladro de tierra, earth auger

taladro de torrecilla, turret drill

taladro de trinquete, ratchet drill

taladro espiral automático, push drill

taladro múltiple, multiple drill

taladro neumático, air drill

taladro para rieles, track drill

taladro ranurador, cotter drill

taladro recargable, cordless drill

taladro reversible de velocidad variable, variable speed reversable drill

taladro sierra, saw drill

talla basta, rough cut file

talla bastarda, bastard cut file

talla dulce (de lima), smooth cut (of file)

talla gruesa (de lima), rough cut (of file)

talla simple (de lima), single cut (of file)

tallador de engranajes, gear cutter

tallador de ranuras, slot cutter

taller de laminación, rolling mill

tamaño normal, standard size

tambor mezclador, mixing drum

tanque de aire, air tank

tapadero, plug; stopper

tapón de tuerca, screw cap

tapón roscado, threaded plug

techado, roofing

techar, roof (to construct roofs)

teclado de computador, computer keyboard

teja, roofing tile

teja de madera, shingle

teja lomada, ridge tile

tela de esmeril, emery cloth

tela fina de esmeril o de arpillera,
  crocus cloth

tenazas, cutters; pincers; pliers; tongs

tenazas de contrafuera, backup tongs

tenazas de cortar pernos, bolt cutter

tenazas de corte, nippers

tenazas de forja, blacksmith tongs

tenazas de remache, rivet tongs

tenazas de triscar, saw set

tenazas para clavos, nail nippers

tenazas para soldadura, welding tongs;
  brazing tongs; break out tongs

tenazas para tubería, pipe tongs; tubing tongs

tenazas para tubos, tubing tongs

tensión primaria, primary voltage

terraja, diestock

terraja para roscar madera, devil

terrajadora, threading machine

terrajadoras para tuercas,
  nut tapping machine

tijeras de hojalatero, tinsnips

tijeras de poder de mango largo,
  long handled pruner

tijeras de podjar, pruning shears

T

tijeras para tubos, pipe snips

tira calibradora, feeler gauge

tiradida mandada por cable, cable scraper

tirador de alambre, wire puller

tirador de cable, cable puller

tituradora de basura, garbage grinder

tobera rociadora, spray nozzle

tomacorriente sin interruptor,
unswitched outlet

topadora, bulldozer; dozer

tornillo, screw; vise

tornillo con ranuras profundas en forma de cruz, posidrive screw

tornillo de ajuste, adjusting screw

tornillo Allen, Allen screw

tornillo de banco, bench vise

tornillo de banco ajustable, angle vise

tornillo de cabeza con seis lados en el interior, Allen screw

tornillo de cabeza de seis puntas en forma de estrella, Torx Drive™ screw

tornillo de cabeza quadrada en el interior,
square drive screw

tornillo de fijación, setscrew; clamp screw

tornillo de mano, hand vise; pin vise

tornillo de mecánico, machinist's vise

tornillo de prueba, probe screw

tornillo de regulación, adjusting screw

tornillo de seguro, setscrew

tornillo de una ranura, slotted head screw

tornillo prisionero de cabeza cuadrada,
   square head set screw

tornillo sin fin, worm

torno, lathe; hoisting engine; reel; windlass

torno al aire, face lathe

torno arrastrador de carros, car puller

torno combinado, combination lathe

torno con cabezal engranado,
   geared-head lathe

torno con cambio rápido de engranajes,
   quick-change gear lathe

torno con contrapunto, face lathe

torno de aire, air hoist

torno de bancada, bed lathe

torno de bancada escotada, gap lathe

torno de cono escalonado, cone lathe

torno de despojar, backing-off lathe

torno de engranajes reductores,
   backgeared lathe

torno de filetear, screw-cutting lathe

torno de husillos múltiples,
   multiple spindle lathe

torno de latonero, fox lathe

torno de mandril, chucking lathe

torno de modelista, pattern maker's lathe

torno de pedal, foot lathe

torno de pie, leg vise

torno de precisión, precision lathe

torno de pulir, buffing lathe; polishing lathe

torno de relojería, watchmaker's lathe

torno de remolcar, towing winch

torno de revólver, turret lathe

torno de roscar, screw cutting lathe

torno de tambor de rueda, brake drum lathe

torno desbastador, roughing lathe

torno doble, duplex lathe

torno para barras, bar stock lathe

torno para ejes, axle lathe; shafting lathe

torno para filetear o roscar, chasing lathe

torno para formar chapa metálica,
  mandrel lathe

torno para inducidos, armature lathe

torno para lingotes, ingot lathe

torno para madera, wood lathe

torno para poleas, pulley lathe

torno para tallador de herramientas,
  toolmaker's lathe

torno revólver universal,
  universal turret lathe

torre de montacarga, tower crane

trabador de sierra, saw set

tractor agrícola, farm tractor

tractor de camión, truck tractor

tractor de carriles o de esteras o de orugas,
    caterpillar tractor; crawler tractor

tractor empujador, bulldozer; push tractor

tractor grúa, tractor crane

tractor industrial, industrial tractor

tractor ligero, light duty tractor

traílla, trailer

transformador, transformer

transportador a gravidad, gravity conveyor

transportador alimentadora,
    feed conveyor

transportador de arrastre, drag conveyor

transportador de banda o correa,
    belt conveyor

transportador de cable, cable conveyor

transportador de cadena, chain conveyor

transportador de cangliones o de cubos,
    bucket conveyor

transportador de entrega,
    delivery conveyor

transportador de listones, slat conveyor

transportador de regreso, return conveyor

transportador de tornillo, screw conveyer

transportador de transbordo,
    transfer conveyor

transportador hacinador, stacker conveyor
transportador teleférico, trolley conveyor
transportadora de banda, conveyor belt
transportdor de rodillos, roller conveyor
trasroscada, cross-threaded
trincheradora, trenching machine
trinquete, pawl; ratchet
tripié o trípode, tripod
trípode para sacar heno, hay tripod
trípol, rottenstone
triscador, saw set
triscadora mecánica, saw-setting machine
triturador de martillos, hammer crusher
trituradora, crusher
trituradora de finos, sand roll or crusher
trituradora de impacto, impact breaker
trituradora de martillos, impact mill
trituradora de quijadas, jaw crusher
trituradora de reducción, reduction crusher
troca, truck; pickup
troquel, die
troquel cortador, cutting die
troquel de acabar, finishing die
troquel de forjar, forging die
troquel de punzonar, punching die
troquel partido, split die

troquel perforador, perforating die

troquel progresivo, progressive die

troqueladora, drop forge; stamping machine

troqueles de cortar y de estampa,
cutting and stamping dies

tuerca, nut

tuerca de prensaestopas, packing nut

U

uña, pawl

unidad de disco flexible, floppy drive

unión, splicer

V

vaciado de precisión, precision casting

válvula de reducción de presión,
pressure reducing valve

válvula reguladora de presión,
pressure-regulating valve

válvula rotativa, rotary valve

vara, yardstick

varilla de soldar, welding rod

ventilador, ventilator

verificador de superficies, surface gauge

vertedera, bulldozer blade

víbora de plomero o destapacaños, plumbers snake

vidrio, glass

virutas de metal, metal shavings

voltador de troncos, log dumper

volteador hidráulico, hydraulic dumper

Y

yarda, yardstick

yelmo, helmet

yugo, yoke

yunque, anvil

yunque de banco, bench anvil

yunque de herrero, blacksmith anvil

yunque tipo puente, bridge anvil

Z

zanjadora, trenching machine

zanjadora de cuchilla, blade ditcher

zorra, hand truck

88

Notas:

PESAS Y MEDIDAS EN LOS ESTADOS UNIDOS
(U.S. WEIGHTS AND MEASURES)

Nota de aclaración al lector hispano.

En en el sistema numérico estadounidense, se usa el punto (.) para separar números enteros y fracciones decimales, y la coma (,) para separar cantidades de miles y cantidades de centenares de números enteros.

Por ejemplo, 25,500 métrico igual a 25.500 U.S., es decir veintecinco y quinientos milésimos.

Pero 25,500 (U.S) igual a veintecinco mil quinientos.

Veanse los ejemplos siguientes:

.5 inch (in.)	= cinco décimos de pulgada
.29 inch (in.)	= veintinueve centécimas de pulgada.
.013 inch (in.)	= trece milésimas de pulgada
.0042 inch (in.)	= cuarenta y dos diezmilésimas de pulgada
3.285 inches (in.)	= tres y doscientos ochenta y cinco milésimas de pulgada

MEASUREMENTS (MEDIDAS)

LENGTH (LONGITUD)

inch (pulgada)   foot (pie)
yard (yarda)   mile (milla)

1 inch (pulgada) = 2.54 centimeters
12 inches =1 foot = 30.48 centimeters
3 feet = 1 yard = 91.44 centimeters
1,760 yards =1 mile =1,609 meters

WEIGHT (PESO)

ounce (onza)   pound (libra)
ton (tonelada)

1 ounce (onza) = 28.3495 grams (gramos)
16 ounces =1 pound = 453.6 grams (gramos)
2,000 lbs = 1 ton = 907.18 kilograms (kilogramos)

AREA (SUPERFICIE)

square inch   (pulgada cuadrada)
square foot   (pie cuadrado)
square yard   (yarda cuadrada)
acre   (acre)
square mile   (milla cuadrada)

144 square inches   = 1 square foot
9 square feet   = 1 square yard
1 acre   = 43,560 square feet
1 acre   = 4,840 square yards
1 square mile   = 640 acres

VOLUME (VOLUMEN)

cubic inch   (pulgada cúbica)
cubic foot   (pie cúbico)
cubic yard   (yarda cúbica)

1728 cubic inches   = 1 cubic foot
27 cubic feet   = 1 cubic yard

LIQUID MEASUREMENT (MEDIDA DE LÍQUIDOS)

ounce (onza)   pint (pinta)
quart (cuarto)   gallon (galón)
16 ounces (onzas) =   1 pint (pinta)
2 pints (pintas) =   1 quart (cuarto)
1 gallon (galón) =   4 quarts (cuartos)

ELECTRICITY   (ELECTRICIDAD)

alternating current   (corriente alterna)
direct current   (corriente continua)
three-phase current   (corriente trifásica)
ampere   (amperio)
milliampere   (miliamperio)
microampere   (microamperio)
ampere-hour   (amperio-hora)
ampere-second   (amperio segundo)
amperage   (amperaje)
volt   (voltio)
millivolt   (milivoltio)
microvolt   (microvoltio)
voltage   (potencia en voltios)
watt   (vatio)
milliwatt   (milivatio)
watt-hour   (vatio-hora)
wattage   (potencia en vatios)
ohm   (ohmio)
milliohm   (miliohmio)
microhm   (microhmio)

Unión de materiales
Español — Inglés

adhesivo a base de caucho, rubber cement

adhesivo con base de agua,
water-based adhesive

adhesivo conductivo, conductive adhesive

adhesivo de endurecimeinto en frío,
cold-setting adhesive

adhesivo de resina, resin adhesive

adhesivo entablerado, paneling adhesive

adhesivo epoxídico, epoxy adhesive

adhesivo fenólico, phenolic cement

adhesivo para unión de metales,
metal-bonding adhesive

adhesivo para unión por contacto,
contact cement

adhesivo piezosensible,
pressure-sensitive adhesive

adhesivo termo endurecible,
heat-setting adhesive

adhesivo termorresistente,
heat resistant adhesive

agujerillo, finishing nail

ancla de dispersión, spreading anchor

arandela, washer

arandela abierta, slip washer
arandela achaflanada, bevel washer
arandela acopada, cup washer
arandela con muescas, notched washer
arandela cortada, cut washer
arandela de ajuste, adjusting washer
arandela de cabo, grommet
arandela de caras no paralelas, bevel washer
arandela de caucho, rubber washer
arandela de empaque, packing washer
arandela de empuje, thrust washer
arandela de grifo, bibb washer
arandela de resorte, spring washer
arandela espaciadora, spacer
arandela fijadora, lockwasher
arandela plana, flat washer
clavito, brad
clavo, nail
clavo arponado de techar, roofing nail
clavo barbado, barbed wire nail
clavo común, common nail
clavo con cabeza de plomo, lead-headed nail
clavo con cabeza dorada, brass-headed nail
clavo de 2 $\frac{1}{2}$ pulgadas, eightpenny nail
clavo de 1 $\frac{1}{2}$ pulgadas, fourpenny nail
clavo de 1 $\frac{1}{4}$ pulgadas, threepenny nail

clavo de 1 $^3/_4$ pulgadas, fivepenny nail

clavo de 1 pulgada, twopenny nail

clavo de 2 $^1/_4$ pulgadas, sevenpenny nail

clavo de 2 $^3/_4$ pulgadas, ninepenny nail

clavo de 2 pulgadas, sixpenny nail

clavo de 3 $^1/_2$ pulgadas, sixteenpenny nail

clavo de 3 $^1/_4$ pulgadas, twelvepenny nail

clavo de 3 pulgadas, tenpenny nail

clavo de 4 $^1/_2$ pulgadas, thirtypenny nail

clavo de 4 pulgadas, twentypenny nail

clavo de 5 $^1/_2$ pulgadas, fiftypenny nail

clavo de 5 pulgadas, fortypenny nail

clavo de 6 pulgadas, sixtypenny nail

clavo de alambre, wire nail

clavo de barquilla, boat spike

clavo de filo de cincel, chisel-point nail

clavo de listonaje, lath nail

clavo de ripiar, shingle nail

clavo de rosca, screw nail

clavo de tapicero, upholstry nail

clavo grueso, spike

clavo para techar de aliación, composition roofing nail

clavo trabal, clasp nail

cola de agua fría, cold water glue

cola de albúmina, albumen glue

cola de carnaza, hide glue

cola de carpintero, carpenter's glue

cola de caseína, casein glue

cola de espuma, foam glue

cola de fraguado en caliente, hot-setting glue

cola de pescado, fish glue

cola de piel, hide glue

cola de resina sintética, synthetic resin glue

cola en polvo, glue powder; powdered glue

cola impermeable, waterproof glue

cola negra, animal glue

cola para encuadernar, bookbinding glue

compuesto para calafatear, caulking compound

epoxia, epoxy

escarpia o espito o estoperol, spike

fibrocemento, fibre cement

grapa, staple

montante, stud

perno, bolt

perno ciego, drift bolt

perno común, machine bolt

perno de anclaje, anchor bolt

perno de coche, carriage bolt

perno de cuña, wedge bolt

perno de émbolo o pistón, piston pin

perno de fuste pleno, full-shank bolt

perno de horqueta, fork bolt

perno de museca, stove bolt

perno de ojilla, eye bolt

perno de orejas, wing bolt

perno de rosca continua, full-threaded bolt

perno de techo, roof bolt

perno flotante de émbolo, floating piston pin

perno maestro, kingbolt

perno prisionero, anchor bolt; stud bolt

pie derecho, stud

puntilla francesa, finishing nail

tachuela, tack

tornillo, screw

tornillo a paño, flush screw

tornillo calibrador, metering screw

tornillo cilíndrico largo con punto cónico,
    lag screw

**tornillo con cabeza cilíndrica agujerada
    diametralmente,** tommy head screw

tornillo con reborde en la cabeza,
    collar screw

tornillo con sujetador a mariposa,
    toggle bolt

tornillo cónico, tapered screw

tornillo corrector o de ajuste, setscrew

tornillo de ajuste preciso,
    fine adjustment screw

tornillo de dos ranuras en cruz, Phillips screw

tuerca, nut

tuerca a paño, flush nut

tuerca ahuecada, recessed nut

tuerca almenada, castellated nut

tuerca alta, deep nut

tuerca autoblocante, self-locking nut

tuerca cilíndrica, round nut

tuerca con arandela-freno, washered nut

tuerca con maniguetas, lever nut

tuerca cónica, cone nut

tuerca cuadrada, square nut

tuerca de aletas, wing nut

tuerca de aterrajar, die nut

tuerca de ojo, eye nut

tuerca de partida, split nut

tuerca de perno, bolt nut

tuerca de presión, jam nut

tuerca de reborde, flange nut

tuerca esférica, ball nut

tuerca hexagonal, hexagonal (hex) nut

tuerca redonda, ring nut

tuerca T, T nut

zulaque, mastic

Maderas
Español — Inglés

abedul, birchwood
abeto, fir
abeto amábilis, Pacific Silver Fir
abeto balsamico, balsamic fir
abeto blanco, white fir; white spruce
acajú, construction lumber
álamo, poplar
álamo blanco, white poplar
álamo de California, poplar
álamo negro, black poplar
alburno, sapwood
arce, maple
balsa, balsa
bambú, bamboo
caoba, mahogany
caoba brasileña, Brazilian mahogany
caoba de Venezuela, Venezuelan mahogany
castaño, chestnut
castaño americano, American chestnut
cedro, cedar
cedro americano, American cedar
cedro de Port Orford, Port Orford Cedar

cedro rojo del pacífico, Western red cedar

cerezo americano, black cherry

chapa de madera, wood veneer

ciprés, cyprus

ciprés americano, yellow cedar

ébano, ebony

ébano africano, African ebony

encino blanco, white oak

enebro rojo americano, southern red cedar

enebro virginiano, eastern red cedar

eucalipto, eucalyptus

ferrol, ironwood

fresno blanco, white ash

fresno rojo americano, American red ash

guyacán, lignum vitae

haya americana, American beech

hickory genuino, hickory

jaboncillo, yucca

madera basta, rough lumber

madera borne, hardwood

madera comprimida, particle board;
   pressed wood

madera contrachapada, plywood

madera curada, seasoned timber

madera de cerezo, cherry wood

madera de coníferas, softwood

madera de construcción, lumber
madera de fresno, ash
madera de olmo, elm
madera sin labrar, rough lumber
madera usada, used lumber
madera verde, green (unseasoned) lumber
maderería, lumber yard
nogal, walnut
nogal de california, California walnut
nogal negro, black walnut
olmo rojo americano, rock elm
paliasandro de Río, Brazilian rosewood
palisandro, rosewood
palo hierro, Brazilian ironwood
palo santo, lignum vitae
picea, spruce
picea albar, white spruce
picea de Alberta, Alberta white spruce
picea de Sitka, Sitka spruce
pino, pine
pino amarillo, Ponderosa pine
pino banksiano, jack pine
pino blanco americano, Rocky Mountain fir
pino bronco, pitch pine
pino de america central, Caribbean pine
pino de Austria, black pine

pino de Brazil, Brazilian pine

Pino de Englemann, Apache pine

pino de Oregon, Douglas fir

pino gigantesco, sugar pine

pino noruego, Norway pine

pino nudoso, knotty pine

pino pantano, southern yellow pine

pino ponderoso, ponderosa pine

pino pungens, American red gum;

pino rojo americano, Canadian red pine

pino tea, American pitch pine

plátano de Virginia, buttonwood

quiebrahacha, ironwood

roble, oak

roble albar, white oak

roble azul, blue oak

roble blanco, afina; white oak

roble duro americano, Virginia oak

roble rojo americano, US post oak

sándalo, sandalwood

tablero hecho de partículas de madera, particle board

teca, teak

tejo americano, western yew

tilo americano, American basswood

triple, plywood

Metales
Español — Inglés

acero, steel
acero al carbono, carbon steel
acero chapado con metal Monel,
  Monel-clad steel
acero de silicio, silicon steel
acero galvanizado, galvanized steel
acero inoxidable, stainless steel
acero para ballestas o resortes, spring steel
aleación de alumínio, aluminum alloy
alumínio, aluminum
alumínio en hojas, sheet aluminum
alumínio fundido, cast aluminum
bronce, bronze
bronce fosforado, phosphor bronze
bronce silíceo, silicon bronze
carburo, carbide
carburo de silicio, silicon carbide
carburo de tungsteno, tungsten carbide
chapa de fierro o hierro, sheet iron
chapa ondulada, corrugated iron
cobre, copper
cromo, chromium

estaño, tin
fierro, iron
fierro o hierro forjado, wrought iron
fierro o hierro fundido, cast iron
fierro o hierro galvanizado, galvanized iron
hierro, iron
hoja de cobre, sheet copper
hoja fina de oro, gold foil
hojalata, tinplate
lámina o papel de alumínio, aluminum foil
latón en hojas, sheet brass
latón silícico, silicon brass
metal Monel, Monel metal
níquel, nickel
oro, gold
oro blanco, white gold
oro de 10 quilates, 10 karat gold
oro de 14 quilates, 14 karat gold
oro de 18 quilates, 18 karat gold
oro de 22 quilates, 22 karat gold
oro de 24 quilates, 24 karat gold
paladio, palladium
plata, silver
platino, platinum
titanio, titanium
tungsteno, tungsten

Notas:

English-Spanish
Inglés-Español

aceteylene welding, soldadura autógena

acid core solder, soldadura con núcleo ácido

acme thread, rosca de 29

adjustable feed, alimentación adjustable

adjustable pliers, pinzas ajustables

adjustable wrench, llave de boca adjustable; llave semifija

adjusting gauge, calibre de ajuste

adjusting screw, tornillo de ajuste; tornillo de regulación

advance lever, planca de avance

adze, azuela

air blower, soplador

air chuck, mandril neumático

air drill, taladro neumático

air drive, propulsión neumática

air gauge, manómetro de aire

air grinder, amoladora neumática

air hammer, martillo neumático

air hoist, malacate neumático; torno de aire

air hose, manguera de aire

air pressure gauge, manómetro de aire

air spade, pala neumática

air tank, tanque de aire

airbrush, aerógrafo

alignment gauge, calibrador de alineación

alignment tester, probador de alineación

alignment tool set,
  juego de herramientas de alineación

Allen screw, tornillo de cabeza con seis lados
  en el interior; tornillo Allen

Allen wrench, llave Allen; llave hexagonal

alligator grab, pinzas de caimán o largato

alligator shear, cizalla de palanca

alligator wrench, llave dentada; llave hexagonal

American gauge, calibre americano; calibre de
  Brown and Sharp

ammeter, amperímetro

angle cutting machine,
  máquina cortadora de ángulares

angle dozer, escrepa de empuje angular

angle meter, medidor de ángulo

angle mirror, espejo de ángulos;
  esquadra de espejos

angle rafter, lima tesa

angle trowel, llana acodada

angle vise, morsa de ángulo;
  tornillo de banco ajustable

angle wrench, llave acodada

anvil, yunque

anvil chisel, tajadera de yunque

apron, mandil

arbor press, prensa de husillo

arc brazing, soldadura de arco con latón

arc cutting, corte por arco eléctrico

arc furnace, horno del arco

arc generator, generador al arco

arc pacifier, apaciguador de arco

arc quencher, apagador de arco

arc torch, antorcha o soplete de arco eléctrico

arc welder, soldadora de arco

armature bander,
    máquina para zunchar inducidos

armature lathe, torno para inducidos

armature tester, ensayador o probador de
    inducidos para inducidos

armature undercutter, rebajador de inducido

armored cable, cable blindado

artists brush, pincel

ash handling machinery,
    maquinaria para manejar cenizas

assembly jig, patrón de montaje;
    plantilla de montaje

atomic hydrogen torch,
    soplete de hidrógeno atómico

atomizer, pistola de pulverización; pistola vaporizada

auger bit,
barrena espiral; mecha de barrena

auto hoist, levantador de automóviles

automatic tapping chuck,
mandril automático para macho

automobile jack, gato levantacoches

awl, lesna

axe handle, mango de hacha

axe stone, piedra afiladora de hachas

axle assembly stand, pedestal para montaje de ejes

axle bending iron, enderezador de ejes

axle housing guide, guía de caja de eje

axle lathe, torno para ejes

axle press, prensa de ejes

axle testing gauge, calibre para comprobar ejes

B

babbit hammer, martillo de metal blanco

back file, lima de cuchilla

backdigger, pala de azadón; palo de arrastre; retroexcavador

backfill tamper, pisonador de relleno

backgeared lathe, torno de engranajes reductores

backing off lathe, torno de despojar

backsaw, sierra de costilla; sierra de lomo; sierra de trasdós

backup tongs, tenazas de contrafuera

balancing machine, máquina de equilibrar; máquina equilibradora

ball grinder, moleadora de bolas

ball mill, molino balero

ball-peen hammer, martillo de bola

ball-point dividers, compás con punta de bola

bandsaw, reaserradero sinfin; sierra sinfin

bandsaw blade, hoja de sierra sinfin

bar bender, curvabarras; dobladora de barras

bar chuck, plato de agujero simple

bar code, código de trazos

bar cutter, cortabarras

bar shear, cizalla para barras

bar stock lathe, torno para barras

bark brush, cepillo de árboles; cepillo de corteza

barking iron, descortezador

barrel mill, molino a tambor

barrel saw, sierra cilíndrica

bastard cut file, talla bastarda

bastard file, lima bastarda; lima momzera

battery (dry cell), pila

battery (lead acid storage),
    acumulador; batería

battery carrier, portaacumulador

battery pliers, pinzas de batería

battery tester,
    probador de acumuladores o baterías

bearing press, prensa de cojinetes

bearing puller, extractor de cojinetes

bearing scraper,
    escariador de cojinetes; raspacojinetes

bed lathe, torno de bancada

beetle, pisón; martillo de madera

bell chuck, plato campana

bell-faced hammer,
    martillo de cotillo convexo

belt, banda; correa

belt clamp, amarra de correa

belt conveyor,
    transportador de banda o correa

belt cutter, cortacorrea

belt hoist, malacate impulsado por correa

belt plane, cepillo para correas

belt punch, punzón para correas

belt sander, lijadora de banda;
    lijadora de correa

belt scraper, raspador de correas

bench anvil, yunque de banco

bench drill, taladro de banco

bench grinder, amoladora de banco; esmeriladora de banco

bench hammer, martillo de ajuste

bench saw, sierra circular de banco

bench vise, prensa de banco; tornillo de banco

bender, curvadora; dobladora

bending die, matriz de doblar

bending form, molde de curvar; molde de doblar

bending jig, plantilla de curvar

bending machine, máquina dobladora

bending press, prensa de doblar; prensa dobladora

bending punch, punzón de plegar

bending table, banco de doblar

bent gouge, gubia acodada

bent-shank tap, macho de espiga acodada

bevel chisel, escoplo biselado

bevel cutoff saw, sierra de trozar en bisel

bevel edger, canteador en bisel

bevel gauge, falsa escuadra

bevel miter, bisel a inglete

bevel plane, cepillo de achaflanar

bevel ripsaw, sierra de hender en bisel

bevel tool, herramienta para beselar

beveling machine, máquina biseladora

binder, ligadora
bit, barrena; broca; fresa; mecha
bit dresser, máquina para afilar barrenas
bit gauge, calibrador de barrenas
bit grinder, amoladora de brocas
bit holder, portabarrena
bit key, llave de paletón
bit punch, punzón de brocas
bit ram, aguzador de barrenas
blacksmith anvil, yunque de herrero
blacksmith chisel, cortafrío de herrero
blacksmith hammer, martillo de forja
blacksmith sledge, macho de fragua
blacksmith tongs, tenazas de forja
blade, cuchilla; cuchillo; hoja
blade ditcher, zanjadora de cuchilla
blade edge, filo
blade guide, guíacuchilla
blanking die, matriz de punzonar
blanking punch, punzonador
block, motón
block and tackle, motón y aparejo
block plane, cepillo de contrafibra
blower, soplador
blowing engine, máquina sopladora

blowtorch, pistola soplete; soplete de gasolina

body harness, arnés al cuerpo

bolt cutter, cortabulones; cortacabillas; cortador de pernos; recortador de pernos; tenazas de cortar pernos

bolt dies, dados para filete de perno; dados para tornillos

bolt driver, colocador de pernos

bolt press, prensa sacaperno; sacapernos

bolt tap, macho de perno

bolt thread, rosca de perno

booster engine, máquina reforzadora

boring and turning machine, taladradora-torneadora

boring machine, máquina de taladrar; máquina perforadora; taladradora

bottomless bucket, cucharón sin fondo

bow file, lima encorvada

box chisel, cincel arrancador

box end wrench, llave cerrada; llave española

brace, berbiquí

brace and bit, berbiquí y barrena

brace wrench, llave de berbiquí

brad hammer, martillo para clavitos o puntillas

brad punch, punzón para clavitos o puntillas

brake drum lathe, torno de tambor de rueda

brake lining remover, máquina desforradora

brake tester, máquina para probar frenos; probador de frenos

brazing clamp, grampa para soldar; prensa para soldar

brazing tongs, tenazas para soldadura

break out tongs, tenazas para soldadura

breast drill, taladro de pecho

brick press, prensa ladrillera

bricklayer's trowel, palustre

bridge anvil, yunque tipo puente

brightness meter, medidor de intensidad luminosa

broaching machine, mandriladora

broaching press, prensa escariadora

brush, brocha; cepillo

brush (carbon, electrical), escobilla

brush rake, rastrillo de malezas

brush scythe, guadaña para arbustos

bubble level, nivel de burbuja

bucket, álabe; balde; cubo; cucharón

bucket conveyor, transportador de cangilones o de cubos

bucking hammer, maza trituradora

buffing lathe, torno de pulir

buffing wheel, rueda pulimentadora

buggy block, motón corredizo

builder's derrick, grúa de edificación

builder's jack, gato de tornillo

builder's level, nivel para constructor

bulging die, matriz de bombear

bull winch, malacate de tres tambores

bulldog wrench, llave de moraza; llave de quijadas de caiman; llave dentada

bulldozer, niveladora de empuje angular; topadora; tractor empujador; vertedera

bumper hitch, enganche de parachoques

bumper jack, gato de parachoques

bumping hammer, martillo desabollador

burnisher, bruñidor

burnishing die, matríz bruñidora

burnishing wheel, rueda de bruñir

burr chisel, cincel cortarrebabas; cortafrio quitarrebabas

burring chisel, cincel de debastar

burring reamer, escariador desbarbador

bushing extractor, extractor de bujes; medidor de exposición; sacabujes

bushing puller, quitabujes; sacabujes

butane torch, soplete de butano

butting saw, siera topadora

buzz saw, sierra circular

cabinet file, lima de ebanista

cable, cable

cable clamp, abrazadera de cable

cable conveyor, transportador de cable

cable cutter, cortacable; cortador de cable

cable drill, barrena de cable; sonda de cable

cable puller, tirador de cable

cable reel jack, gato para carrete

cable scraper, pala de cable de arrastre; tiradida mandada por cable

caliper gauge, calibrador fijo de espesor; calibre de compás

caliper rule, medida con calibrador

caliper square, escuadra ajustable

calking chisel, cincel de calafatear; escoplo de calafatear

calyx drill, sonda de corona dentada

cam cutter, fresadora para levas

cam press, prensa de leva

camber tool, herramienta de inclinación de ruedas

camelhair brush, pincel de pelo de camello

cant hook, gancho de volteo

cantilever press, prensa de cancillo

cap key wrench, llave de grifo

capacitance meter, medidor de capacitancia

cape chisel, escople ranurador

car dolly, gato rodante

car lift, levantador de automóviles; levantador de coches

car puller, torno arrastrador de carros

carbon scraper, rascador de carbón

carpener's glue, cola de ebanista

carpenter's clamp, prensa de madera; sargento de madera

carpenter's level, nivel de carpintero

carpenter's pencil, lápiz de carpintero

carpenter's rule, metro plegable

carrying tongs, pincargadoras

casing perforator, punzonzdora de tubos

caterpillar tractor, tractor de carriles o de esteras o de orugas

caulking chisel, cincel de recalcar

caulking hammer, martillo de calafatear

caulking iron, herramienta de calafatear

caulking mallet, maceta de calafatear

cavil, martillo de punta

center drill, broca de avellanar; broca de centrar; mecha centradora

center gauge, calibre de centro; plantilla para puntos

centering gauge, calibre de centrar

centering tool, herramienta centradora

centerpunch, punzón de centrar

chain, cadena

chain belt, banda de cadena

chain conveyor, transportador de cadena

chain cutter, cortacadena

chain drill, taladro de cadena

chain hoist, montacarga de cadena

chain jack, gato de cadena

chainsaw, sierra de cadena

chain vise, prensa a cadena;
sargento de cadena

chain wrench, llave de cadena

chalk line, cordel de marcar

chamfering machine, biseladora;
máquina de achanflar

chamfering tool, herramienta biseladora

channeler, acanaladora

charging bucket, cucharón cargador

chasing lathe, torno para filetear o roscar

check gauge, calibre de comprobación

check template, plantilla de prueba

chest harness, arnés al pecho

chip pan, recogedor de virutas

chip spreader, esparcidor de cascajo

chipper, descantilladora; picadora

chipping hammer, martillo burilador; martillo
cincelador; rebabeadora

chisel, cincel; escoplo; formón; tajadera

chisel bar, barrote con punta de cuña

chisel bit, barrena de cincel

chisel point, filo de cincel

chuck, boquilla; mandril; portabroca; portamecha; porta mandril; portaplato

chuck plate, porta plato; porta mandril

churn drill, barrena batidora

circuit tester, probador de circuito

circular jack, gato circular

circular saw, sierra circular

circular saw blade, hoja de sierra circular

clamp, abrazadera; mordaza; sargento

clamp jig, plantilla con abrazadera

clamp screw, tornillo de fijación

clamshell bucket, cucharón de almeja

clamshell roundnose bucket, cucharón de almeja de labios curvos

claw bar, barra de uña; pata de cabra; sacaclavos de horquilla

claw hammer, martillo de carpintero; martillo de orejas; martillo de uña

claw jack, gato de oreja

clawfoot spanner, llave de talón

clearance gauge, cerchámetro

close quarter drill, perforadora o taladro para lugar angosto o estrecho

closed impression dies, matrices cerradas

closed planer, acepilladora cerrada;
    casquillo cerrado

clutch alignment tool, herramienta de
    alineación de embragues; heramienta de
    alineación de clutches

clutch spring compressor,
    compresor de resorte de embrague

coarse file,
    lima de desbastar; lima gruesa; limatón

coat (of paint), mano de pintura

coaxial crimper, herramienta sujetadora de
    cable coaxial

cock wrench, llave para espita o robinete

coil spring, resorte espiral

cold chisel,
    cortador en frío; cortafrío; cortahierro

cold saw, aserradora en frío

collapsable tap, macho de expansión

collet, collar; boquilla

column press, prensa de columna

combination chuck, plato combinado

combination die, matriz combinada

combination jig, plantilla múltiple

combination lathe, torno combinado

combination lock, cerradura de combinación

combination padlock,
    candado de combinación

combination plane, cepillo universal

combination pliers, alicates universales;
  pinzas de combinación

combination square,
  escuadra de combinación

combine harvester, cosechadora

combustion analyzer, probador de combustión

compass (direction), brújula

compass (drawing), compás

compass saw, serrucho de calar o de punto

compensating magnet, imán compensador

compound bending die,
  matriz de doblar compuesta

compound die, matriz compuesta

compressed air, aire comprimido

compressed air hose,
  manguera de aire comprimido

compression gauge, manómetro de
  compresión; ensayador de compresión;
  indicador de compresión

computer keyboard, teclado de computador

computer monitor, monitor de computador

computer mouse,
  mouse o ratón de computador

computer printer, impresora de computador

computer program, programa de computador

computer screen, pantalla de computador

computer-controlled,
  controlado por computador

concrete block machine, fabricadora de
  bloques de hormigón

concrete mixer, mezcladora de concreto;
  mezcladora de hormigón

concrete spreader, esparcidora de hormigón

cone crusher, quebradora o trituradora de cono

cone lathe, torno de cono escalonado

cone-point setscrew,
  perno prisionero de punta cónica

continuity tester, comprobador de continuidad

control gauge, calibre de comprobación

control level, nivel de control

control template, plantilla de comprobación

converter, convertidor

conveyor belt, correa transportadora;
  transportadora de banda

coping saw, serrucho caladora;
  serrucho de calar

copper jaw clamp, mordaza de cobre

cord, cordel

corded measuring tape, cinta de cordones

cordless drill, taladro recargable

cordless screwdriver,
  desarmador o destornillador recargable

core drill, barrena sacanúcleos;
  sonda de corona

core extractor, sacanúleos

corner brace, berbiquí para rincones

corner chisel, escoplo angular

correa de cadena, chain belt

cotter drill, taladro ranurador

cotter mill, fresa ranuradora

cotter pin, chaveta de dos patas; clavija hendida; pasador de chaveta

cotter pin puller, sacapasador

countersink, abocardo; avellanador

crab, cabrestante; cabria

crane, cabria; grúa giratoria; guinche

crane boom, aguilón de grúa; botalón de grúa; pluma de grúa

crane chain, cadena de grúa

crankshaft grinder, esmeriladora o rectificadora de cigüeñales

crankshaft grinding machine, máquina de esmerilar cigüeñales

crawler tractor, tractor de carriles o de esteras o de orugas

creasing hammer, martillo de acanalar; martillo de estriar

creeper, camilla rodante

crimping press, prensa dobladora

crimping tool, herramienta de plegar; herramienta sujetadora; herramienta sujetadora de terminales; plegador

crocus cloth, tela fina de esmeril; tela fina de arpillera

cropping machine, recortadora

cropping shear, cizalla de recortar

cross chisel, cincel de filo en cruz

cross-threaded, trasroscada

crosscut saw, serrucho de través; sierra de trozar

crossing file, lima ovalada

crowbar, chuzo; pata de cabra

crusher, chancadora; trituradora

crushing mill, molino titurador

cup point setscrew, opresor de punto ahuecado

curling die, matriz rebordeadora

cutoff die, matriz de corte

cutter, cortadora

cutter bit, fresa

cutter guide, guía de corte

cutter head, portabrocas; portacuchillas

cutter sharpener, afiladora de brocas

cutters, cuchillas; tenazas

cutting and stamping dies, dados de cortar y de estampa; troqueles de cortar y de estampa

cutting and welding outfit, equipo de corte y soldadura

cutting compound, cumpuesto de cortar

cutting die, troquel cortador

cutting guide, guía de corte

cutting machine, máquina de cortar

cutting oil, aceite de corte

cutting pliers, alicates de cortar; pinzas cortantes

cutting punch, punzón cortador o de corte

cutting tip, pico cortador

cutting tool, herramienta recortadora

cutting torch, antorcha de corte o de cortar

cylinder boring gauge, calibre para rectificación de cilindros

cylinder boring machine, máquina para rectificar cilindros

cylinder gauge, calibre de cilindro

cylinder head puller, sacacabeza; sacaculata

cylinder hone, pulidor de cilindros

cylinder honing machine, máquina para pulidor cilindros

D

deep socket, cubo de boca profunda

definite gauge, calibre específico

delivery conveyor, transportador de entrega

depth gauge, calibre de profundidad; indicador de profundidad; medidor de profundidad

derrick boom, pluma de grúa

devil, terraja para roscar madera

diamond dresser, moleta de diamante

diamond drill, sonda de diamantes; taladro de diamantes

diamond-nose chisel, cortafrío de punta rómbica

diaphragm gauge, manómetro de diafragma

dibber, plantador

die, dado; matriz; dado de roscar; hembra de terraja; troquel

die grinder, amoladora de troqueles; portahembra; portamatriz

die mold, molde de matrizar

diestock, terraja

digging fork, laya

dimension saw, sierra de dimensión

dip meter, mediador de buzamento

dipper, cucharón

dipper dredge, pala flotante

disc bit, mecha de discos

disc crusher, chancadora de discos

disc grinder, esmeriladora de disco

disc sander, lijadora de disco

ditcher blade, cuchilla zanjadora

dolly, plataforma rodante

double-cut file, lima de dientes finos;
lima de doble talla; lima de picadura cruzada

double-ended wrench,
llave de dos bocas; llave doble

double-flute drill, broca de ancanaldo doble

double-tang file, lima de dos colas

double-face hammer, martillo de dos cotillos

dovetail saw, serrucho de hacer espigas;
serrucho de machihembrar

dozer, pala de tractor; topadora

drag conveyor, transportador de arrastre

drag scraper, pala de arrastre

dragline boom, pluma para cable de arrastre

dragline bucket, cucharón

dragline fairlead, guía de cable de arrastre

dragline scraper, pala de cable de arrastre

dragsaw, sierra de tiro

drawn grader, niveladora de arrastre

drawplate, calibre de estirar

dresser, moleta

dressing tool, moletador

drift, punzón

drill, taladro

drill bit, barrena; broca; mecha

drill bit extractor, sacabarrena; sacamechas

drill chuck, mandril de boca; nuez

drill gauge, calibre de mechas

drill grinding gauge, plantilla para brocas

drill jig, patrón de taladrar

drill press, perforadora; prensa de taladro; taladradora

drilling machine, máquina de taladrar

drilling template, patrón de agujerar; plantilla de taladrar

drive belt, banda de correa

drop forge, troqueladora

drop hammer, martillo de caída libre; maza de martinete

drop-bottom bucket, cucharón de descarga por abajo torno

drum sander, lijadora de tambor

drunken saw, sierra elíptica

duckbills, alicates de punta plana

dump bailer, cuchara vertidora

dumpy level, nivel de antijo corto

duplex lathe, torno doble

dust mask, máscara contrapolvo

E

earth auger, sonda de tierra; taladro de tierra

eccentric taper reducer, reductor cónico excéntrico

edging saw, sierra de cantar

elastic chuck, mandril de extensión

electric power mower, cortacésped eléctrico

electrician's bit, mecha de electricista

elevating grader, niveladora elevadora

elliptic chuck, plato para óvalos

emery, esmeril

emery cloth, tela de esmeril

emery compound, pasta de esmeril

emery paper, papel de esmeril

emery stone, piedra de esmeril

emery wheel dresser,
 rectificadora de esmeriladoras

end cutting pliers, pinzas con corte delantero

end gauge, calibre normal

endless belt, banda sinfin; correa sinfin

engine stand, pedestal para motores

expander chuck, mandril de expansión

expansion bit, mecha de expansión

exposure meter, exposímetro

extractor, quitador

F

face lathe, torno al aire; torno con contrapunto

faceplate of lathe, plato de torno

fan belt, correa de ventilador

farm level, nivel de agricultor

farm tractor, tractor agrícola

featheredge file, lima de sepada

feed conveyor, transportador alimentadora

feeler gauge, calibre de cinta; calibre de espesor; calibre de láminas; plantilla de espesor; tira calibradora

felling saw, sierra de tumbar

felling wedge, cuña de talla

female, hembra

fiddle block, motón de dos ejes con poleas diferenciales

fiddle drill, taladro de pecho

field magnet, imán de campo

file, lima

file card, carda limpialimas

file handle, mango de lima

fin, aleta

finishing die, troquel de acabar

finishing machine, máquina acabadora

finishing tap, macho acabador

finishing trowel, paleta acabadora

fire axe, hacha para incendios

fire extinguisher, matafuegos

first-aid kit, botoquín de emergencia

fish tape, cinta guía

fitting up wrench, llave de cola

flanging machine, máquina rebordeadora

flanging press, prensa rebordeadora

flaring tool, herramienta de abocinar

flashlight, linterna

flashlight bulb, bombilla para linterna; lámpara para linterna

flat bladed screwdriver, destornillador o desarmador para tornillos de una ranura

flat chisel, contrafrío; escoplo plano

flat drill, mecha de punta chata

flat file, lima plana

flat point setscrew, opresor de punta chata

flatnose pliers, alicates de punta plana

floating chuck, mandril flotante

flogging hammer, tweezers

floor brush, escobón

floor jack, plataforma de elevación hidraúlica

flooring saw, serrucho para pisos

floppy disk (computer), disco flexible (computador)

floppy drive, unidad de disco flexible

flowmeter, medidor de flujo

flushing gun, pistola de enjuage

flushing oil, aceite de lavar

fluted scraper, raspador de media caña

fluted socket setscrew, opresor de cubo ranurado

fly press, prensa de volante

foot candle meter, mediador de pies-bujías

foot lathe, torno de pedal

foot press, prensa de pedal

foot-lift jack, gatón de pie alzador

forcing press, prensa forzadora

forge, forja

forge blower, soplador de forja

forging and upsetting machine,
máquina de forjar y recalcar

forging die, matriz para forjar; troquel de forjar

forging press, prensa de forjar

fork chuck, mandril ahorquillado

fork wrench, llave de horquilla; llave tenedor

forklift, carretilla elevadora de horquilla

forming press, prensa comformadora;
prensa de formar

fox lathe, torno de latonero

fret saw, segueta; sierra caladora

friction tape, cinta aislante

fuel pressure gauge,
manómetro de presión de combustible

full-dog-point setscrew, opresor de macho
largo

G

gad, punzón

gaging block, matriz de tamaño

gaining template, plantilla de muescar

gap lathe, torno de bancada escotada

garbage grinder, tituradora de basura

garden trowel, desplantador

garnet paper, papel de granate

gasket punch, punzón para empaquetaduras

gasoline pressure gauge,
manómetro de presión de gasolina

gauge, calibrador; medida

gauge die, matriz colocadora

gauge rod, sonda cilindrica

gauging trowel, paleta de amasar

gear, engranaje

gear cog, diente de engranaje

gear cutter, cortador de engranajes; tallador de engranajes

gear cutting machine, máquina cortadora de engranajes

gear grinder, amoladora de engranajes; rectificadora de engranajes

gear lapping machine,
pulimentadora de engranajes

gear puller, extractor de engranajes; sacaengranajes

gear shaper, formadora de engranajes; máquina para cortar engranajes

gear teeth shaper, máquina formadora de dientes de engranajes

gear tooth, diente de engranaje

geared screw jack, gato de tornillo engranado

geared-head lathe,
   torno con cabezal engranado

generator tester, probador de generador

gin, molinete

girth pipe wrench, llave de cincha

glass, vidrio

glass cutter, cortavidrios

glass grinder, rectificadora de cristales

glassblower's pipe or tube,
   soplete de vidreros

glazer's chisel, escoplo de vidriero

glazer's hammer, martillo de vidriero

glazer's point, punta de vidriar

gloves, guantes

glue, cola

go gauge, calibre que no debe entrar

goggles, antiojeras

gouge, gubia

graver, buril; punzón

gravity conveyor, transportador a gravidad

grease, grasa

grease cup, copilla de engrase

grease gun, engrasador; pistola de engrase

great American file,
   lima de cuña con canto redondo

greenhouse, invernadero

grinder, amoladora; esmeriladora; molino

grinding disc, disco esmerilador

grindstone, mollejón; piedra de amolar

grip, agarradero

groove cutter, cortadora de ranuras

grooving chisel, cortafrío ranurador

grooving machine, ranuradora

grooving saw, sierra ranuradora

guide, guía

guillotine shear, cizalla de guillotina

gulleting file, lima cilíndrica;
    lima para entredientes

H

hacksaw, segueta; segueta para hierro; sierra
    cortametales; sierra de cortar metales

hacksaw blade, hoja de sierra para metales;
    segueta para arco

hacksaw frame, arco de sierra de metales

hairspring dividers, compás de precisión

hammer, martillo

hammer crusher, triturador de martillos

hammer drill, perforadora de martillo;
    taladro de percusión

hammer handle, mango de martillo

hammer mill, molino a martillos

hammer tamper, pisón de martillo
hammer-driven hollow punch, sacabocado
hand crosscut saw, serrucho de trozar
hand drill, taladro de mano
hand level, nivel de mano
hand mower, cortacésped mecánico
hand pump, bomba manual
hand ripsaw, sierra de hilar
handsaw, serrucho; sierra manual
hand template, plantilla de mano
hand tools, herramientas manuales
hand truck, carretilla para cajas y sacos; zorra
hand vise, morsa de mano; tornillo de mano
handle, agarradero; asa; cabo; mango; manija
hard hat, casco protector
hard solder, soldadura fuerte
hardness indicator, indicador de dureza
hardware, ferretería; herraje; cerrajería
hatchet, hacha
hay bailer, empacadora de paja
hay drying rack, caballete para secar heno
hay rake, rastrillo para heno
hay tripod, tripode para sacar heno
heading die, matriz encabezadora
headstock of lathe, muñeca fija de torno

heavy weight lubricating oil, aceite lubricante pesado

hedge trimmer, cortasestos

helical worm gear speed reducer, reductor de velocidad a engranaje helicoidal de tornillo sinfin

helix, espiral; helice

helmet, casco; yelmo

hending punch, punzón de plegar

high helix drill, mecha de paso corto

hinge jaw, mordaza de articulación

hob, fresa; fresa madre; macho maestro de roscar

hoe, azada; azadón

hoe-fork combination, carpidor

hognose drill, broca o mecha de punta chata aguda

hoist, cabrestante; grúa; guinche; malacate; montacarga

hoist block, motón de gancho

hoist cable, cable de izar

hoisting engine, guinche; malacate; torno

hole, agujero, cavidad; excavación orficio; hoyo; ojo; orficio

hole saw, serrucho de calar; sierra perforadora

hollow-ground, afilada con cara cóncava

hollow-back saw, sierra de lomo curvo

hollow-back shovel, palo de reverso abierto

hone, piedra de asentar

honing machine, máquina esmeriladora; rectificadora

hood pilot, guía de capo

hook, gancho

hook tap, macho de gancho

hook wrench, ganzúa; llave de gancho

horseshoe magnet, imán de herradura

hose, manguera

hose clamp, abrazadera de manguera

hose nozzle, lanza de amnguera

hose reel, carrete de manguera; enrollador de manguera

hose wrench, llave de manguera

hot chisel, cincel para metal caliente; cortadora en caliente; tajadera en caliente

hot cutter, cincel para metal caliente; cortadora en caliente; tajadera en caliente

hot saw, aserradora en caliente; sierra para metales calientes

hothouse, invernadero

hoze nozzle, boquilla de manguera

hub puller, sacacubo

hydrant wrench, llave para hidrantes

hydraulic bale loader, cargador hidráulico de balas

hydraulic dumper, volteador hidráulico

hydraulic jack, gato hidráulico

hydraulic press, prensa hidráulica

hydraulic scraper,
escrepa hidráulico; pala hidráulica

hydrogen torch, soplete de hidrógeno

I

ignition coil tester, probador de bobina de encendido

ignition pliers, alicates para el incendio

ignition tester,
máquina de ensayo de encendido

impact breaker, trituradora de impacto

impact mill, trituradora de martillos

impact screwdriver, desarmador de impactos; destornillador de impactos

impact tamper, pisionador de impacto

impact wrench, llave de choque; llave neumática

impeller, impulsor

independant chuck,
plato de mordazas independientes

index die, matriz de división

India stone, piedra india

induction brazing, soldadura de inducción con latón; soldadura fuerte por inducción

industrial robot, robot industrial

industrial tractor, tractor industrial

ingot lathe, torno para lingotes

insectecide sprayer,
     pulverilzador para insecticida

inserted chaser tap,
     macho de peines insertados

inserted tooth saw,
     sierra de dientes postizos

inside calipers, compás de espesores;
     compás de interiores

inside micrometer,
     micrómetro para interiores

inside molder, moldaduradora interior

inside tool, gubia de costado

instruction manual, manual de instrucciones

irregular curve, plantilla de curva

J

jack, gato

jack plane, cepillo desbastador

jack up, levantar con gato

jackbit, dado de barrena

jackhammer, chicharra;
     martillo neumático; martillo perforador;
     perforadora neumática

jackknife, navaja dobladora de bolsa

jaw, mordaza

jaw crusher, quebradora de mandíbulas; trituradora de quijadas

jeweler's screwdriver, desarmador o destornillador de joyero

jig, calibre; gálibo; guía; montaje; patrón; plantilla

jig borer, taladradora de plantillas

jigsaw, sierra caladora

jointer, cepillo mecánico de banco

K

key, chaveta; cuña; llave

key driver, punzón para chavetas; sacachavetas

key file, lima de cerrajero

keyhole hacksaw, serrucho calador de metales

keyhole saw, segueta; serrucho de punta; sierra caladora

knife, cuchillo

knife blade, hoja de cuchillo

knife file, lima de navaja

knurling tool, herramienta estiradora; moleta; moleteador

L

ladle, caldero de colada

lapping compound, compuesto de pulir

lapping machine, pulimentadora

large brush, escobón

lathe, máquina de tornear; torno

lathe center, punta de torno; punto de centrar

lathe center grinder,
    rectificadora de puntas de torno

lathe chuck, mandril de torno; plato de torno

lathe dog, brida; perro de torno

lathe file, lima de tornero

lathe poppet, muñeca

lathe spindle, husillo de torno

lathe tools, herramientas de torno

lawn mower, cortacésped

lawn rake, rastrillo para césped

lawn trimmer, desbastadora de césped

lead jaw clamp, mordaza de plomo

leaf, hoja

leaning wheel grader,
    niveladora de ruedas inclinables

leather apron, mandil de cuero

leather belt, correa de cuero

leg vise, morsa de pie; torno de pie

lettering guide, plantilla de rotular

lever, palanca

lever jack, gato de palanca

lever punch, punzonadora de palancas

lever shear, cizalla de palanca;
   guillotina de palanca

lift line, nivel de hormigonado

lifting hook, gancho de palanca; gato; gato
   izador; gato mecánico; izador

lifting magnet, imán izador

light duty tractor, tractor ligero

light meter, mediador de iluminación

light weight lubricating oil,
   aceite lubricante ligero

limit gauge, calibre de tolerancia;
   plantilla de límite

line level, nivel de cuerda

lineman's belt, cinturón de guardalínea

lineman's pliers, alicates de guardalínea

lock, cerradura

locking pliers, alicates abrazaderas; alicates de
   fijación; pinzas de presión

locknut, contratuerca

lockwasher, arandela de presión

log dumper, voltador de troncos

long handled pruner, tijeras de poder de
   mango largo

long-nose pliers, alicates narigudos;
   pinzas de punta

lubricating machine (luber),
   máquina lubricadora

lubricating oil, aceite lubricante

lug wrench (cross type), cruceta

M

machine tool, máquina herramienta

machine tool vise,
morsa de máquina herramienta

machinery, maquinaria

machinist's hammer, martillo de ajustador

machinist's vise, tornillo de mecánico

magnet, imán

magnet crane, grúa de imán

magnetic chuck, mandril electromagnético

male, macho

male gauge,
calibrador interior; calibrador macho

mallet, maceta; mallete

mandrel, árbol; eje; husillo; mandril

mandrel lathe,
torno para formar chapa metálica

manure hoe, azada para estiércol

manure spreader, espaciadora de estiércol

marking awl, lesna de marcar; punta de trazar

marking caliper, calibre trazador

master die, macho maestro de roscar; matriz
de comparación; matriz maestra; matriz
patrón

master gauge,
 calibre de comparación; calibre maestro

maul, maceta; mazo

measuring chain, cadena de medir

mechanical jack, gato mecánico

mechanical template, plantilla mecánica

melting pot, crisol

metal cutting bandsaw,
 sierra sinfín para metales

metal shavings, virutas de metal

micrometer, micrómetro

micrometer calipers, calibre micrométrico

micrometer depth gauge,
 micrómetro de profundad

micrometer saw tool,
 herramienta micrométrica para sierras

milling cutter, fresa

milling machine, fresadora

milling planer, fresadora cepilladora

miter cutoff gauge, guía de trozar ingletes

miter elbow, codo de inglete

miter knife, cuchilla para ingletes

miter plane, cepillo para inglete

miter saw, serrucho para cortar a inglete

miter square, esquarda de inglete

miter box, caja de inglete

mixer, mezcladora

mixing chamber, cámara mezcladora

mixing drum, tambor mezclador

mixing nozzle, boquilla mezcladora

moldboard, oreja o vertadero del arado

molding knife, cuchillo de moldurar

molding machine, molduradora

molding plane, cepillo de moldurar

molding press, prensa moldeadora

monkey wrench, llave inglesa; llave Stillson; llave de plomero

mortising chisel, bedano de mortaja; escoplo; formón

mortising machine, escopladora; máquina de enmuescar; mortajadora

motor generator, motogenerador

motor oil, aceite de motor

motor oil (variable viscosity), aceite de motor de todo clima

mud gun, inyector de lodo

multi-V belt, correa en V múltiple

multiple dies, matrices múltiples

multiple drill, taladro múltiple

multiple spindle boring machine, taladradora múltiple

multiple spindle lathe, torno de husillos múltiples

multiple spot welder, soldadora de puntos múltiples

multiple tool block,
  bloque portaherramienta múltiple

multipoint cutting tool,
  herramienta de puntos múltiples

multipoint welder,
  soldadora de puntos múltiples

multiradial drill, taladradora multiradial

multisheave block,
  motón de garruches múltiples

multispindle milling machine,
  fresadora de husillos múltiples

N

nail, clavo

nail anchor, sujetador de clavo

nail cutters, cortaclavos; tenazas para clavos

nail puller,
  arrancaclavos; desclavador; sacaclavos

nail set, embutidor; punzón para clavos

needle file, lima de aguja

nippers, cortaalambre; tenazas de corte

nonmetallic cable, cable no metálico

not-go gauge, calibre de juego máximo

nozzle, boquilla; pitón

nut, rosca; tuerca

nut driver, apretatuercas; llave para tuercas

nut driver set, juego de llaves para tuercas

nut extractor, sacatuercas

nut mandrel, mandril de tuerca

nut tap, macho para tuercas

nut tapping machine,
terrajadoras para tuercas

nut threading machine,
roscadora de tuercas

O

obstruction light, farol indicator de obstáculo

obstruction wrench,
llave angular; llave para rincones

offset screwdriver,
desarmador o destornillador acodado

offset tool, herramienta descentrada

offset wrench, llave acodada; llave angular

ohmmeter, ohmiómetro

oil pressure gauge,
manómetro de presión de aceite

oil tube drill,
broca con canal para aceite entre estrías

oilhole, agujero de lubricación

oiling chain, cadena de lubricación

oilstone, piedra de aceite

open end wrench, llave de boca;
llave de maquinista; llave española

open throat pliers, alicates con garganta

P

optical sensor, sensor óptico

oscillating sprinkler, regadora ocilatoria

outer bit, broca buriladora

outside calipers,
calibre de espesor; calibre exterior

outside micrometer, micrómetro de medida
externa; micrómetro exterior

outside molder, moldadura exterior

outside spring calipers,
compás exterior de resorte

oval chuck, plato para óvalos

oxyacetylene torch, antorcha oxiacetilénica;
soplete oxiacetilénico

oxyacetylene welding, soldadura oxiacetilénico

oxyhydrogen blowpipe, soplete oxihidrógeno

oxyhydrogen welding,
soldadura oxihidrógeno

P

packing box, caja de empacadura

packing hook, gancho de empaque

packing nut, tuerca de prensaestopas

paint gun, atomizador de pintura; pistola
rociadora de pintura

paint roller, rodillo de pintar

paint scraper, raspapintura; sacapintura

paint sprayer, rociador de pintura

paintbrush, brocha

painter's triangle, rasquete triangular

pallet, paleta

palnut, contratuerca

panel saw, serrucho de dientes finos

panic bar, barra de emergéncia

paper trimmer, guillotina de papel

parallel jaw pliers,
    alicates de quijadas paralelas

parallel vise, morsa parallela

paring chisel,
    escoplo de mano; formón de mano

paring gouge, gubia de mano

parting chisel, escoplo separador

parting tool, fresa partidora

pattern maker's lathe, torno de modelista

pattern maker's saw,
    serrucho para modelador

paving breaker, martillo rompedor; pistola
    rompedora de pavimento

paving mixer, hormigonera pavimentadora;
    mezcladora pavimentadora;
    partidora de hormigón

pawl, crique; trinquete

peavy, cuña de fijación

pedal, pedal

pedal arm, palanca de pedal

pedestal crane, poste grúa

pedestal grinder, esmeriladora de pie;
rectificadora de pedestal

peen, boca de martillo

peening tool, herramienta de recalcar

pencil, lápiz

percussion drill, taladro de percusión

percussion wrench,
llave neumática; llave Stillson

perforating die,
matriz perforadora; troquel perforador

perforating machine, máquina de perforar;
máquina perforadora

phase meter, mediador de fases

pickaxe, alcotana; piqueta

piercer press, prensa perforadora

piercing die, matriz perforadora

pile driver, martinete

pile driver lead, cable de martinete

pile hammer, martinete; maza de martinete

pillar crane, grúa de columna

pilot bit, barrena piloto; broca piloto

pin drill, broca con espiga de guía

pin punch, punzón botador

pin reamer, escariador para pasador

pin spanner, llave ahorquillada; llave de
gancho con espiga; llave tenedor

pin vise, tornillo de mano

pin wrench, llave de espiga; llave de pernete

pincers, pinzas; tenazas

pinion puller, extractor de piñón; sacapiñón

pipe bender, dobladora de tubos

pipe crimper, plegador de tubos

pipe cutter, cortatubos

pipe cutter wheels, cuchillas para cortatubo

pipe cutting and threading machine, máquina de cortar y enroscar tubos

pipe dies, dados para rosca de tubería

pipe drill, barrena hueca para albañilaría

pipe gauge, calibrador de tubos

pipe jack, alzatubos

pipe puller, arrancatubos

pipe reamer, escariador de tubos

pipe snips, tijeras para tubos

pipe straightener, enderazador de tubos

pipe tap, macho para rosca de tubería

pipe threader, roscadora para tubería

pipe tongs, tenazas para tubería

pipe vise, prensa para canería o tubería

pipe wrench, llave de tubería; llave de tubos; llave Stillson; llave monkey

pistol grip, mango de pistola

pistol oiler, pistola de aceite

piston grinder, amoladora de émbolos

piston inserter, insertador de émbolo

piston turning machine,
  rectificadora de émbolos o pistones

pitchfork, bieldo

pitching tool, escoplo de cantear

plane, cepillo

planer, cepilladora

planer head, cabezal de cepilliadora

planer knife, cuchilla de acepillar

planer type milling machine,
  fresadora acepilladora

plasterer's trowel, plana

plate bending machine, plegadora de planchas

plate bending rolls, curvadora de planchas

plate gauge, calibrador de planchas

plate holder, portaplaca

plate roller, cilindro cilindro laminador

plate shears, cizalla para planchas

pliers, alicates; tenazas; pinzas

plow, arado

plow plane, cepillo rebajador

plug, tapadero

plug gauge, calibre cilíndrico

plug saw, sierra de tapón

plugging chisel, escarbador

plumb bob, plomada

plumb level, nivel con plomada

plumber's friend, amigo de plomero; desatascador; destapacaños con mango de madera

plumbers snake, víbora de plomero; destapacaños de plomero

pneumatic chuck, mandril

pneumatic drill, chicharra; martillo neumático; martillo perforador; perforadora neumática

pneumatic hammer, martillo neumático

pneumatic wrench, llave de impacto; llave neumática

pointing chisel, puntero

polisher, bruñiadora; muela pulidora; pulimentadora

polishing cylinder, cilindro de pulir

polishing lathe, torno de pulir

polishing stone, piedra pulidora

polishing wheel, muela pulidora

posidrive screw, tornillo con ranuras profundas en forma de cruz

post drill, taladradora de columna; taladro de poste

post driver, hincadora de postes

post maul, maza para hincar postes

posthole digger, pala para hoyos

pot chuck, mandril de copa

pot furnace, horno al crisol

potato fork, bieldo para papas

potato hook, azada para papas

potato rake, rastro para papas

power feed, alimentación mecánica

power file, limadora

power file (handheld), lima eléctrica de mano

power hacksaw, segueta mecánica; sierra mecánica para metales

power lift, levantador hidráulico

power lift gate, compuerta izadora hidráulica

power mower, cortacésped de motor

power shovel, pala de fuerza; pala mecánica

power winch, montacargas mecánico; motocabrestante

precision caliper, calibre de precisión

precision casting, vaciado de precisión

precision gauge, calibre de precisión

precision grinder, rectificadora de precisión

precision lathe, torno de precisión

preheat, precalentar

pressure gauge, manómetro de presión

pressure governor, regulador de presión

pressure lubrication, lubricación a presión

pressure pump, bomba de presión

pressure reducing valve, válvula de reducción de presión

pressure-operated, mandado por presión

pressure-regulating valve, válvula reguladora de presión

pressure-sensitive, sensible a la presión

prestressed, prefatigado

pretreatment, pretratamiento

primary circuit, circuito premario

primary voltage, tensión primaria

primer coat (of paint), primera mano de pintura

prism level, nivel de prisma

probe, probador

probe screw, tornillo de prueba

production line, cadena de producción

production run, lote de producción

profile cutter, fresa perfilada

profiling machine, perfiladora

progressive die, troquel progresivo

prong chuck, mandril de púas

prong die, dado de resorte

propane torch, soplete de propano

propellor, hélice

protective clothing, prendas de protección

protective gloves, guantes protectivos

pruning saw, sierra de poda

P

pruning shears, tijeras de podjar

pry bar, chuzo; pata de cabra

puller, extractor; quitador

pulley, motón; polea

pulley beam, árbol de polea

pulley block, motón

pulley guard, guardapolea

pulley lathe, torno para poleas

pulling jack, gato de tirar

pumice stone, piedra pómez

pump, bomba

punch, punzador

punch pliers, pinzas punzadores

punch press, prensa punzonadora

punching die, troquel de punzonar

push broom, escobón

push drill, taladro de empuje; taladro espiral automático

push tractor, tractor empujador

putty, masilla

putty knife, cuchilla para masilla; cuchillo de vidriero; espátula

pyramid oiler, aceitera cónica

Q

quartering level,
  nivel probador de ángulo recto

quartz iodine lamp,
  lámpara de cuarzo y yodo

quartz sand, arena cuarzosa

quench (hot metal), enfriar por inmersión

quenching oil, aceite para temple

quick change gear lathe,
  torno con cambio rápido de engranajes

R

rabbet gauge, gramil para rebajos

rabbet plane, cepillo de ranurar; guimbarda

rack and pinion press, prensa de cremallera

rack saw, sierra de corte ancho

radial drill, taladradora radial

radius gauge, plantilla de radio

rafter square, escuadra para cabrios

railroad pick, pico de acuñar

raising hammer, martillo de chapista; martillo
  de hojalatero; raising hammer

rake, rastrillo

ram, pisón

ramming bar, atacadera

ramp, rampa

random orbit sander, lijadora orbital al azar

rasp, limatón; raspa

ratchet, crique; rueda dentada; trinquete

ratchet brace,
berbiquí de matraca; chompa

ratchet drill, taladro de trinquete

ratchet jack, gato de cremallera

ratchet screwdriver,
desarmador o destornillador a crique

ratchet spring, resorte de cremallera

ratchet wrench,
llave a crique; llave de chicharra

ratcheting box wrench, llave cerrada a
crique; llave cerrada de chicharra; llave
cerrada de trinquete

rattail file, lima de cola de rata

rawhide, cuero crudo

rawhide mallet, martillo de cuero crudo

reamer, escariador; fresa

reamer chuck, portaescariador

reamer wrench, giraescariador

reboring machine, rectificadora de cilindros

reciprocating saw, sierra caladora eléctrica

reducing sleeve, reductor

reduction crusher, trituradora de reducción

reductor, rectficadora de pedestal

reed plane, argallera; cepillo de mediacaña

reel, carrete; torno

reeming beetle, maceta de calafatear

refacer, rectificadora de superficies; refrentadora

regrinding machine, rectificadora

regulator tester, probador de regulador

relief spring, resorte amortiguador

remover, quitador

renewable jaw wrench, llave de mordaza renovable

resaw, sierra de reserrar

resorte de fiador, catch spring

respirator, respirador

retainer spring, resorte retenedor

return conveyor, transportador de regreso

return spring, resorte reactor

revolving punch, sacabocado a tenaza

revolving sprinkler, regadora giratorio

revolving table, mesa giratoria

ridge tile, teja lomada

ridging hoe, aporcador

riding lawn mower, cortacésped autoportado

riffler, lima encorvada

ring chuck, boquilla de collar

ring magnet, imán anular

ripping chisel, cincel escarificador

ripping hammer, martillo de uña recta

ripping iron, pico de cuervo

ripsaw, sierra de cortar a lo largo;
sierra de hender; sierra de hilar

rivet buster, romperremaches; tajadera

rivet catcher, agarrador de remaches

rivet forge, fragua para remaches

rivet grip, agarre del remache

rivet gun, pistola remachadora

rivet heater, calentadora de remaches

rivet punch, botador de remaches; embutidor
de remaches

rivet set, boterola

rivet tongs, tenazas de remache

riveting die, matriz de remachar

riveting hammer, martillo remachador

riveting machine, máquina remachadora

road scraper, cuchilla niveladora; niveladora
de camino

rod level, nivel de mira; nivel de plomar

rod mill, molino de cabillas

roll crusher, molino de rulos

roller chain, cadena de rodillos

roller conveyor, transportdor de rodillos

roller jack, gato rodante

roller mill, molino de cilindros;
molino de mazas

rolling mill, taller de laminación

roof slab, loza de azotea

roofing, techado

roofing tile, teja

rope, cabo; cordel; cuerda; marona

rose mill, fresa semiesférica

rose nail, clavo de cabeza piramidal

rosehead countersink, abocardo tipo rosa

rosin core solder,
    soldadura con núcleo de resina

rotary bit, barrena giratoria

rotary cutter, cortador rotario

rotary drill, taladro de rotación

rotary file, lima rotatoria

rotary planer, acepilladora rotatoria

rotary scraper, pala de arrastre giratoria

rotary shears, cizalla rotatoria

rotary snow plow, quitanieve rotatorio

rotary swather, agavilladora giratoria

rotary tedder, henificadora giratoria

rotary valve, válvula rotativa

rotating base, base giratoria

rottenstone, trípol

rouge, rojo de pulir

rough cut (of file), talla gruesa (de lima)

rough cut file, talla basta

roughing cutter, fresa desbastadora

roughing lathe, torno desbastador

roughing tap, macho desbastador

round edge file, lima de cantos redondos

round file, lima cilíndrica

round head stove bolt,
    pernillo de cabeza de hongo ranurada

round plane, cepillo convexo

round point setscrew,
    prisionera de punta ovalada

round point shovel, pala de chuzo

round taper file, lima redonda puntiaguda

roundnose chisel, cincel de pico redondo;
    formón de punta redonda

roundnose pliers, alicates de punta redonda

router, guimbarda; ranurador

rubber, caucho; goma; hule

rubber belt, banda de hule;
    cinta de goma; correa de gaucho

rubber cement, cemento de gaucho o de
    goma o de hule

rubber gloves, guantes de goma

rubbing varnish, barniz de frontar

rule, medida; regla

S

saber saw, sable

safety belt, cinturón al cuerpo

safety goggles, gafas de protección

safety hook, gancho de seguridad

sand roll or crusher, trituradora de finos

sandblaster, soplete de arena; máquina de chorro de arena

sander, lijadora

sander-polisher, lijadora-pulidora

sanding disc, disco lijador

sandpaper, papel de lija

sash plane, cepillo rebajador

saw, serrucho; sierra

saw arbor, eje de sierra

saw bench, banco de sierra

saw blade, hoja de sierra

saw clamp, prensa para sierra

saw drill, sierra cilíndrica; taladro sierra

saw file, lima para sierra

saw frame, bastador se sierra; marco de sierra

saw gauge, calibre de dientes

saw grinder, rectificador de sierras

saw knife, cuchillo serrucho

saw mandril, árbol de sierra; eje de sierra

saw set, tenazas de triscar; triscador; trabador

saw setting machine, triscadora mecánica

saw shear, cizalla de dentar

saw vise, prensa para afilar sierras

sawdust blower, soplador de aserrín

sawhorse, borriquete; burro para aserrar; caballete de aserrar

scaffold, andamino

scale (surface deposit), costras; escamas; incrustación

scale remover, quitacostra

scaling chisel, desescamador

scaling hammer, martillo desincrustador

scoop, cuchara

scoop shovel, pala de cuchara

scraper, raspador

scratch awl, lesna de marcar

scratch template, plantilla rayadora

screw, tornillo

screw auger, barrena espiral; barrena salomónica

screw cap, tapón de tuerca

screw chaser, peine de roscar; plantilla de filetar

screw chuck, mandril enroscado

screw conveyer, transportador de tornillo

screw cutting lathe, torno de filetear; torno de roscar

screw die, cojinete de terraja

screw feed, avance por tornillo

screw gauge, calibre de roscas

screw head, cabeza de tornillo

screw jack, gato a tornillo

screw machine, máquina para fabricar tornillos

screw pitch, paso de tornillo o perno

screw pitch gauge,
    medidor de roscas; plantilla para roscas

screw press, prensa de tornillo

screw slot, ranura de tornillo

screw socket, casquillo destornillador

screw tap, macho de teraja;
    macho de tornillo

screw thread micrometer, micrómetro de
    roscas; micrómetro para filetes

screwdriver, desarmador; destornillador

screwdriver (cordless, rechargable),
    desarmador o destornillador recargable

screwdriver bit, broca de desarmador o
    destornillador

screwdriver blade, barra de desarmador o
    destornillador

screwdriver set, juego de desarmadores o de
    destornilladores

screwstock, barras para fabricar tornillos

scroll saw, sierra caladora

scythe blade, hoja de guardaña

sealant, sellador

seam hammer, martillo de rebordes

seaming die, estampa de empatar

second cut file, lima de segundo corte

seed harrow, sembradora de chorillo

seeding box, caja de plantas de semilla

self-centering center punch,
punzón autocentrador

serial taps, machos de serie

setscrew, opresor; tornillo de seguro; tornillo
de fijación

setscrew wrench,
llave para tornillo de presión

shafting lathe, torno para ejes

shank gauge, calibrador de espigas

shank grinder, amoladora de espigas

shank punch, punzón para espigas

shaper, cepillo limador; embutidora; fresadora;
limadora

shaping planer, acepilladora

sharpening stone, piedra de afilar

shear, guillotina

shearing die, matriz de cizallador

shears (left hand cut),
cizallas con curvatura a la izquierda

shears (right hand cut),
cizallas con curvatura a la derecha

sheet metal brake,
máquina plegadora de chapa metálica

sheet metal cutter,
cortachapa; cortador de hojas metálicas

sheeting hammer,
martillo hincador de tablestacas

shell bit, mecha de mediacaña

shell chuck, anillo sujetador

shell drill, broca de manguito

shell end mill, fresa escariadora hueca

shell file, lima curva de chapista

shell reamer, escariador hueco

shingle, teja de madera

shovel, pala

shuttle saw, sierra de vaivén

side chisel, cortafrío de bisel único; formón de filo oblícuo

side cutter, fresa de disco

side rasp, raspa lateral

sidecutting pliers (sidecutters), alicates cortadoras laterales; pinzas de corte

silicone lubricant, lubricante silicónoco

silver brazing, soldadura de plata

silver solder, soldadura de plata

single cut (of file), talla simple (de lima)

single-end wrench, llave de una boca; llave sencilla o simple

single-flute drill, broca de acanalado simple

single-point tool, herramienta de punta única

six-point socket,
cubo con seis lados en el interior

sizer, calibrador mediador; rectificadora al tamaño

sizer die, cojinete acabador

sizer tap, macho acabador

skew-back saw, serrucho de lomo ahuecado

skimmer scoop, pala aplanadora

slab miller, fresadora de superficie

slabbing cutter,
fresadora cilíndrica helicoidal

slat conveyor, transportador de listones

slat machine,
máquina para hacer listones y tabillas

sledge hammer, martillo macho; porra

sledging wrench, llave para martillar

sleeve puller, sacamanguito

slick chisel, escoplo ancho de torno

slide caliper, calibre corredizo de espesor

slim file, lima delgada

slim taper file, lima ahusada delgada

sling, eslinga

slip gauge, calibrador de espesor

slip-joint pliers,
alicates de articulación ajustable

slip stone, piedra de cuña para afilar

slitter knife, cuchillo de rajar

slitting file, lima cuchillo; lima de cuchillo; lima de espada; lima de hender

slitting saw, sierra para ranurar

slitting shears, cizalla para chapa metálica

slogging chisel, romperremaches

slope gauge, gálibo de inclinación

slope meter, indicador de pendiente

slot cutter, cortadora de ranuras; tallador de ranuras

slotted head screw, tornillo de una ranura

slotted template, plantilla de corredera

slotting auger, barrena para mortajas

slotting file, lima ranuradora

slotting machine, máquina de ranurar

smooth cut (of file), talla dulce (de lima)

smooth cut file, lima de talla dulce

smooth file, lima musa

smooth plane, cepillo acabador o alisador

snake (plumbers), cable destapacaños

snow blower, soplador de nieve

snow plow, arado para nieve; barrenieve; quitanieve

socket, casquillo; cubo; dado

socket extension, barra de extensión para llave de cubos o dados

socket gauge, calibridor de cubo

socket punch, sacabocado

socket set, juego de cubos o de dados

socket setscrew, opresor hueco

socket wrench, llave de casquillo; llave de cubo; llave de dado

socket wrench reducer, reductor de cubo de llave

soft solder, estañosoldadura

soil auger, barrena de tierra

solder (60/40), soldadura 60/40

soldering flux, fundente para soldar

solderless connector, conector sin soldadura

sound level meter, mediador de audibilidad

sower, sembrador

spade, laya; palín

Spanish windlass, molinete

spark plug gauge, calibrador de bujías

spark plug puller, extractor de bujías

spark plug socket, casquillo para bujías; cubo para bujías

spark plug wrench, llave para bujías

spike, clavo grueso

spike maul, martillo escarpiador

spike puller, arrancapernos

spiking hammer, martillo escarpiador

spindle, polea

spindle cone, polea escalonada

spindle sander, lijadora de husillo

spindle staybolt tap, macho de husillo

spiral chuck, plato de ajuste espiral

spiral-fluted reamer,
escariador de estrías espirales

spiral-geared planer,
acepilladora con engranajes espirales

spiral milling cutter,
fresa de dientes espirales

spiral screwdriver, atornillador de empuje;
desarmador o destornillador automático

spiral-tooth bevel gear,
engranaje cónico de dentadura espiral

spiral-tooth milling cutter,
fresa de dientes heliocoidales

spiral welding, soldadura en espiral

spiral-bevel-gear speed reducer,
reductor de velocidad a engranaje
conicohelicoidal

spiral-cut countersink,
avellanador de dientes helicoidales

spiral-edge blade, hoja con filo en hélice

spirally wound, espiroarrollado

spirit level, nivel de burbuja

splice, unión

splicing bench, mesa de ayustar

splicing clamp, mordaza de armarrar

splicing tongs, alicates de ayustar

spline grinder, muela ranuradora

spline milling machine, fresadora ranuradora

splint axle, eje seccionado

split collet, collar ahusada; boquilla ahusada

split die, estampa partida; matriz partida; troquel partido

split gear, engranaje en dos piezas

split ring, anillo partido

split washer, arandela partida

spokeshave, bastrén; cuchillo para rayos; raedera; raspadera

spoon bit, mecha de cuchara

spoon gouge, gubia de cuchara

spot glueing, encolado en zonas

spot weld, soldar por puntos

spot welder, soldadora de puntos

spot welding, electrosoldadura por puntos

spotcheck, comprobar in situ; probar en obra

spotting drill, punta de centrar; broca de puntear

spotting tool, herramienta centradora

spotting winch, malacate situador

spout adze, azuela curva

spray aerator, aireador rociador

spray gun, pistola de rociar

spray head, boquilla rociadora

spray irrigation, riego por aspersión

spray nozzle, tobera rociadora

sprayer, atomizador; pulverizador; rociador

spreader finisher, esparciadora acabadora

spring calipers, calibre de resorte

spring collet, boquilla ahusada; collar ahusado

spring dividers, compás de división de resorte

spring faucet, grifo de muelle

spring fork, horquilla elástica

spring hammer, martinete de resorte

spring hinge, bisagra de muelle

spring pliers, pinzas de resorte

spring punch, punzón de resorte

spring rebound tester,
probador de rebote de muelle

spring washer, arandela elástica

spring-loaded steel measuring tape,
cinta de resorte

spring-tooth harrow, rastra de dientes de
resorte; rastrillo de dientes flexibles

sprinkler, regadora; rociador

sprinkler system, sistema de regado

sprocket, diente de rueda;
rueda dentada de cadena

sprocket chain, cadena articulada

sprocket hole, perforación de arrastre

spud wrench, llave de cola

spur brace, puntal inclinado

spur center, punta de espuela

spur chuck, mandril de púas

spur geared planer,
acepilladora de engranaje recto

squab jack, gato para respaldo al asiento

square, esquadra

square drive screw, casquillo de boca
cuadrada; tornillo de cabeza quadrada en el
interior

square head set screw,
tornillo prisionero de cabeza cuadrada

square taper file, lima cuadrada puntiaguda

square taper shank, espiga cuadrada cónica

square wrench, llave de cuadro; llave espitera

squeege, lampazo de goma

stacker conveyor, transportador hacinador

staggered tooth cutter,
fresa de dientes escalonados

stamp mill, batería de mazos; bocarte;
molino de mazos

stamping die, matriz de estampa

stamping hammer, martillo de marcar

stamping machine, estampadora;
troqueladora

stamping press, prensa de estampar

standard size, tamaño normal

staple, grapa

staple gun, grapadora

star bit, broca de cruz; broca estrellada

star drill,
barrena de cruz; barrena de filo en cruz

star wheel, rueda en cruz

starting punch, punzón aflojador

stationary leaf press, prensa de hojas fijas

steam cleaning machine,
máquina de limpiar a vapor

steam hammer, martilo pilón; maza de vapor

steam shovel, pala a vapor

steel wool, estopa de acero; estopajo

step tap, macho escalonado

Stillson wrench, llave inglesa;
llave Stillson; llave monkey

stocks and dies, dados de terraja

stopper, tapadero

straight tap, macho paralelo

straight-backed saw, serrucho de lomo recto

straight-shank twist drill, mecha cilíndrica

straightening press, prensa enderezadora

strain gauge, medidor de deformación

strap wrench, llave de correa

stress meter, medidor de esfuerzo

stretching press, prensa de estirar

stud puller, sacapernos

superfine file, lima superfina

surface gauge, calibre de altura; verificador de
superficies

suspension harness, arnés de suspensión
swaging hammer, martillo de recalcar
swath reaper, segadora agrivilladora
sweep saw, sierra de contonear
swing saw, sierra de colimpio; sierra colgante
swivel vise, morsa giratoria

T

table saw, sierras circular de banco
tack puller, sacachinche
tailstock of lathe, muñeca coridiza de torno
tamper, pisón; machota
tap, machuelo
tap and die set,
    juego de machuelos y tarrajas
tap extractor, sacamacho
tape measure, cinta de medir
taper reducer, reductor cónica
taper shank twist drill, mecha cónica
tarnishing file, lima de deslustrar
teeth per inch, dientes por pulgada
template, patrón; plantilla
test light, lámpara de prueba
test prod, punta de prueba
tester, probador
thickness compass, compás de espesor

thickness gauge, plantilla de espesor

thread, rosca

thread chaser, herramienta de filetar

thread cutting die, macho de aterrajar

thread gauge, calibre para roscas

thread pitch gauge, plantilla para filete

threaded, fileteado; roscado

threaded plug, tapón roscado

threading machine, máquina de enroscar; roscadora; terrajadora

tilting level, nivel basculante

tinsnips, tijeras de hojalatero

tip-up trailer, remolque volquete

tire gauge, manómetro de neumáticos

tire recapping mold, reemcauchadora

tire rim contractor, aparato de contracción de llantas

tire rim tool, herramienta de desmontar llantas

tire spreader, aparato de ensanchar neumáticos

toggle press, prensa de palancas acodilladadas; prensa de rótula

tongs, pinzas; tenazas

tongue and groove cutting machine, machihembrador

tool box, caja de herramientas

tool gauge, calibre para herramientas

tool handle, mango de herramienta

tool kit, equipo de herramientas

toolmaker's lathe,
torno para tallador de herramientas

top die, contramatriz

topping block, motón de amantillar

torch, soplete

torque gauge, indicador de torsión

torque wrench, llave de torsión

Torx Drive™ screw, tornillo de cabeza de seis
puntas en forma de estrella

Torx Drive™ screwdriver, desarmador o
destornillador de seis puntas en forma de
estrella

tow rope, soga de remolque

tow truck, motogrúa

tower crane, torre de montacarga

towing bar, barra para remolque

towing cable, cable de remolque

towing hitch, enganche para remolque

towing jack, gato para remolque

towing winch, malacate de arrastrar;
torno de remolcar

towline, cable de remolque

towline cable, soga de remolque

track drill, taladro para rieles

traction engine, máquina de arrastre

traction line, cable tractor

tractor crane, tractor grúa

tractor shovel, pala de tractor

trail grader, niveladora de remolque

trailer, remolque; trailer

trammel, calibre de aliniación

transfer blocks, cabezales transferentes

transfer caliper, calibre de traspaso

transfer case, caja de transferencia

transfer convevor,
  transportador de transbordo

transfer crane, grúa de trasbordo

transformer, transformador

traverse drill, taladro de adjuste lateral

trenching machine, máquina zanjadora;
  trincheradora; zanjadora

trepanning tool, herramienta de ahuecar

triangular file, lima triangular

trickle charger,
  cargador lento de acumuladores o pilas

trimming die, matriz recortadora

trip hammer, martillo pilón

triple duty saw, serrucho de triple oficio

tripod, tripié o trípode

tripod head, cabeza de tripié o trípode

trolley conveyor, transportador teleférico

troughing conveyor,
transportador acanalado

trowel, paleta; palustre

truck, camión; troca

truck body rocker guide,
guía de basculador de caja de camión

truck crane, motogrúa

truck shovel, pala de camión

truck tractor, tractor de camión

tube bender, doblador de tubos

tube cutter, cortatubos

tube drill, mecha tubular

tube expander,
cilindro para agrandar tubos

tube mill, molino de tubos

tube saw, sierra cilíndrica

tube scraper, raspador de tubería

tube straightener,
máquina para enderezar tubos

tubing tongs, tenazas para tubos

tubular spring, resorte de alambre tubular

turning chisel, escoplo de torno

turning gouge, gubia de torno

turning machine, máquina de tornear

turning saw, sierra contorneadora;
sierra para contornear

turret drill, taladro de torrecilla

turret lathe, torno de revólver

tweezers, pinzas; tenacillas

twelve point socket, cubo con doce lados en
el interior

twine, bramante

U

ultrasonic sensor, sensor ultrasónico

universal chuck, mandril universal; universal
chuck

universal turret lathe, torno revólver universal

unswitched outlet, tomacorriente sin
interruptor

V

V bar, barra V; banda V; correa en V; correa
trapezodial

V thread, filete triangular

vacuum gauge, indicador de vacío

valve grinder, esmeriladora de válvulas

valve grinding tool,
herramienta para esmerilar válvulas

valve guide reamer,
escariador de guía de válvula

variable speed reversable drill,
taladro reversible de velocidad variable

varnish remover, removedor de barniz

ventilator, ventilador

Venturi meter, mediador Venturi

vernier gauge, calibre de vernier

vernier level, nivel de nonio

vise, cárcel; morsa; prensa de tornillo; tornillo de banco

vise chuck, prensa sujetadora

voltage tester, probador de tensión

watchmaker's lathe, torno de relojeíra

water-cooled, enfriado por agua

watering can, regadera

weatherstripping, burlete; cinta obturadora de intemperie

welding, soldadura

welding gloves, guantes de soldador

welding goggles, gafas de soldador

welding jig, plantilla de soldador

welding rod, eléctrodo; varilla de soldar; varilla de soldar

welding tip, boquilla de soldar

welding tongs, tenazas para soldadura

welding torch, soplete de soldadura

welding wire, alambre para soldar

wheel aligner, alineadora de ruedas

wheel balancer, equilibrador de ruedas

wheel puller, extractor de ruedas; sacarruedas

wheel rim wrench,
  llave para aros de rueda

wheelbarrow, carretilla

wheeled scraper, pala de ruedas

whetstone, piedra aguzadora

whipsaw, sierra cabrilla

windlass, torno

wire basket, cesto de alambre;
  cepillo de alambre; cepillo metálico

wire gauge, calibrador de alambre

wire puller, tirador de alambre

wire strippers, alicates pelacables;
  pelador de alambres

wobble saw, sierra circular oscilante;
  sierra excéntrica

wood file, lima para madera

wood lathe, torno para madera

wood rasp, escofina para madera

wood veneer, chapa de madera

wood working machine,
  máquina de labrar madera

wood working vise, prensa de madera

wooden dowel, clavija de madera

work bench, banco de trabajo

worm, tornillo sinfin

worm and roller, sinfin y rodillo

worm auger, barrena de gusano

wrecking ball, bola rompeadora

wrecking bar, barra sacaclavos;
   cuello-de-ganso

wrench, llave para pernos y tuercas

Y

Y level, nivel de horquetas

Y tube, el tubo en Y

yardstick, vara; yarda

yarning chisel, escoplo calafateador

yoke, yugo

Z

zero adjustment, ajustamiento en cero

186

Notes

A NOTE ON THE METRIC SYSTEM IN THE SPANISH LANGUAGE FOR THE ENGLISH-SPEAKING READER.

In metric expressions in Spanish, commas (,) are used to separate whole numbers and fractions, as in the following examples: The names of the measurements below are in English solely for purposes of illustration.

2,54 centimeters	=1 inch
30,48 centimeters	=1 foot
6,451 square centimeters	=1 square inch
0,8361 square meter	=1 square yard
16,387 cubic centimeters	=1 cubic inch
28,3495 grams	=1 ounce
0,946 liters	=1 liquid quart
3,785 liters	=1 gallon
907,18 kilograms	=1 ton

By the same token, the period (.) is used to separate whole number thousands from hundreds, tens, and units.

For example, 25,000 metric, in Spanish, equals 25.500 or twenty-five and five hundred one thousandths (U.S.).

But 25.500 metric, in Spanish, equals twenty-five thousand, five hundred (U.S.), and 100.000 equals one hundred thousand (U.S.).

FASTENERS
English — Spanish

acorn nut, tuerca de bellota

adjusting washer, arandela de ajuste

albumen glue, cola de albúmina

anchor bolt, perno de anclaje; perno prisionero

animal glue, cola negra

ball nut, tuerca esférica

barbed wire nail, clavo barbado

bevel washer, arandela achaflanada; arandela de caras no paralelas

bibb washer, arandela de grifo

boat spike, clavo de barquilla

bolt, perno

bolt nut, tuerca de perno

bookbinding glue, cola para encuadernar

brad, clavito

brass-headed nail, clavo con cabeza dorada

carriage bolt, perno de coche

carpenter's glue, cola de carpintero

casein glue, cola de caseína

castellated nut, tuerca almenada

caulking compound, compuesto para calafatear

chisel-point nail, clavo de filo de cincel

clasp nail, clavo trabal

cold water glue, cola de agua fría

cold-setting adhesive, adhesivo de
endurecimeinto en frío

collar screw, tornillo con reborde en la cabeza

common nail, clavo común

composition roofing nail,
clavo para techar de aliación

conductive adhesive, adhesivo conductivo

cone nut, tuerca cónica

contact cement, cemento de contacto

cup washer, arandela acopada; arandela
cortada

deep nut, tuerca alta

die nut, tuerca de aterrajar

drift bolt, perno ciego

duplex nail, clavo dúplex

eightpenny nail, clavo de $2^{1}/_{2}$ pulgadas

epoxy, epoxía

epoxy adhesive, adhesivo epoxídico

eye bolt, perno de ojilla

eye nut, tuerca de ojo

fibre cement, fibrocemento

fiftypenny nail, clavo de $5^{1}/_{2}$ pulgadas

fine adjustment screw,
tornillo de ajuste preciso

finishing nail, agujerillo; puntilla francesa

fish glue, cola de pescado

fivepenny nail, clavo de $1^3/_4$ pulgadas

flange nut, tuerca de reborde

flat washer, arandela plana

floating piston pin, perno flotante de émbolo

flush nut, tuerca a paño

flush screw, tornillo a paño

foam glue, cola de espuma

fork bolt, perno de horqueta

fortypenny nail, clavo de 5 pulgadas

fourpenny nail, clavo de $1^1/_2$ pulgadas

full-finished nut, tuerca acabada

full-shank bolt, perno de fuste pleno

full-threaded bolt, perno de rosca continua

glue powder, cola en polvo

grommet, arandela de cabo

heat resistant adhesive, adhesivo termorresistente

heat-setting adhesive, adhesivo termo endurecible

hexagonal (hex) nut, tuerca hexagonal

hide glue, cola de carnaza; cola de piel

hot-setting glue, cola de fraguado en caliente

jam nut, tuerca de presión

joiner's glue, cola de carpintero

kingbolt, perno maestro

lag screw, tornillo cilíndrico largo con punto cónico

lath nail, clavo de listonaje

lead-headed nail, clavo con cabeza de plomo

lever nut, tuerca con maniguetas

lockwasher, arandela fijadora; rodana de fijación

machine bolt, perno común

mastic, zulaque

metal-bonding adhesive, adhesivo para unión de metales

metering screw, tornillo calibrador

nail, clavo

ninepenny nail, clavo de $2^3/_4$ pulgadas

notched washer, arandela con muescas

nut, tuerca

packing washer, arandela de empaque

paneling adhesive, adhesivo entablerado

phenolic cement, adhesivo fenólico

Phillips screw, tornillo Phillips

piston pin, perno de émbolo o pistón

powdered glue, cola en polvo

pressure-sensitive adhesive, adhesivo piezosensible

recessed nut, tuerca ahuecada

resin adhesive, adhesivo de resina

ring nut, tuerca redonda

roof bolt, perno de techo

roofing nail, clavo arponado de techar

round nut, tuerca cilíndrica

rubber cement, adhesivo a base de caucho

rubber washer, arandela de caucho

screw, tornillo

screw nail, clavo de rosca

self-locking nut, tuerca autoblocante

setscrew, tornillo corrector; tornillo de ajuste

sevenpenny nail, clavo de $2\frac{1}{4}$ pulgadas

shingle nail, clavo de ripiar

sixpenny nail, clavo de 2 pulgadas

sixteenpenny nail, clavo de $3\frac{1}{2}$ pulgadas

sixtypenny nail, clavo de 6 pulgadas

slip washer, arandela abierta

spacer, arandela espaciadora

spike, estoperol; escarpia; espito; clavo grueso

split nut, tuerca de partida

spreading anchor, ancla de dispersión

spring washer, arandela de resorte

square nut, tuerca cuadrada

staple, grapa

stove bolt, perno de museca

stud, montante; pie derecho

synthetic resin glue, cola de resina sintética

T nut, tuerca T

tack, tachuela

tapered screw, tornillo cónico

tenpenny nail, clavo de 3 pulgadas

thirtypenny nail, clavo de $4^1/_2$ pulgadas

threepenny nail, clavo de $1^1/_4$ pulgadas

thrust washer, arandela de empuje

toggle bolt, tornillo con sujetador a mariposa

tommy head screw, tornillo con cabeza cilíndrica agujerada diametralmente

twelvepenny nail, clavo de $3^1/_4$ pulgadas

twentypenny nail, clavo de 4 pulgadas

twopenny nail, clavo de 1 pulgada

upholstry nail, clavo de tapicero

washer, arandela

washered nut, tuerca con arandela-freno

water-based adhesive, adhesivo con base de agua

waterproof glue, cola impermeable

wedge bolt, perno de cuña

wing bolt, perno de orejas

wing nut, tuerca de aletas; tuerca mariposa

wire nail, clavo de alambre

WOODS
English — Spanish

afina, roble blanco
African ebony, ébano africano
Alberta white spruce, picea de Alberta
American basswood, tilo americano
American beech, haya americana
American cedar, cedro americano
American chestnut, castaño americano
American pitch pine, pino tea
American red ash, fresno rojo americano
American red gum, pino pungens
Apache pine, Pino de Englemann
ash, madera de fresno
balsa, balsa
balsamic fir, abeto balsamico
bamboo, bambú
birchwood, abedul
black cherry, cerezo americano
black pine, pino de Austria
black poplar, álamo negro
black walnut, nogal negro
blue oak, roble azul

Brazilian ironwood, palo hierro
Brazilian mahogany, caoba brasileña
Brazilian pine, pino de Brazil
Brazilian rosewood, paliasandro de Río
buttonwood, plátano de Virginia
California walnut, nogal de california
Canadian red pine, pino rojo americano
Caribbean pine, pino de america central
cedar, cedro
cherry wood, madera de cerezo
chestnut, castaño
construction lumber, acajú
cyprus, ciprés
Douglas fir, pino de Oregon
eastern red cedar, enebro virginiano
ebony, ébano
elm, madera de olmo
eucalyptus, eucalipto
fir, abeto
green (unseasoned) lumber, madera verde
hardwood, madera borne
hickory, hickory genuino
hickory pine, pino pungens
ironwood, ferrol; quiebrahacha
jack pine, pino banksiano

knotty pine, pino nudoso

lignum vitae, guyacán; palo santo

lumber, madera de construcción

lumber yard, maderería

mahogany, caoba

maple, arce

Norway pine, pino noruego

oak, roble

Pacific Silver Fir, abeto amábilis

particle board, madera comprimida; tablero hecho de partículas de madera

pine, pino

pitch pine, pino bronco

plywood, madera contrachapado; triple

Ponderosa pine, pino amarillo; pino ponderosa

poplar, álamo; álamo de California

Port Orford Cedar, cedro de Port Orford

pressed wood, madera comprimida

rock elm, olmo rojo americano

Rocky Mountain fir, pino blanco americano

rosewood, palisandro

rough lumber, madera basta; madera sin labrar

sandalwood, sándalo

sapwood, alburno

seasoned timber, madera curada

Sitka spruce, picea de Sitka

softwood, madera de coníferas

southern red cedar, enebro rojo americano

southern yellow pine, pino pantano

spruce, picea

sugar pine, pino gigantesco

teak, teca

US post oak, roble rojo americano

used lumber, madera usada

Venezuelan mahogany, caoba de Venezuela

Virginia oak, roble duro americano

walnut, nogal

Western red cedar, cedro rojo del pacífico

western yew, tejo americano

white ash, fresno blanco

white fir, abeto blanco

white oak, encino blanco; roble albar;
    roble blanco

white poplar, álamo blanco

white spruce, abeto blanco; picea albar

wood veneer, chapa de madera

yellow cedar, ciprés americano

yucca, jaboncillo

METALS
English — Spanish

aluminum, alumínio
aluminum alloy, aleación de alumínio
bronze, bronce
carbide, carburo
carbon steel, acero al carbono
cast aluminum, alumínio fundido
cast iron, fierro fundido; hierro fundido
chromium, cromo
copper, cobre
corrugated iron, chapa ondulada
galvanized iron, fierro o hierro galvanizado
galvanized steel, acero galvanizado
gold, oro
gold, 10 karat, oro de 10 quilates
gold, 14 karat, oro de 14 quilates
gold, 18 karat, oro de 18 quilates
gold, 22 karat, oro de 22 quilates
gold, 24 karat, oro de 24 quilates
iron, fierro; hierro
Monel metal, metal Monel
Monel-clad steel,
    acero chapado con metal Monel

nickel, níquel
palladium, paladio
phosphor bronze, bronce fosforado
platinum, platino
sheet aluminum, alumínio en hojas o chapas
sheet brass, latón en hojas o chapas
sheet copper, hoja de cobre; chapa de cobre
sheet iron, chapa de fierro o hierro
silicon bronze, bronce silíceo
silicon carbide, carburo de silicio
silver, plata
spring steel, acero para ballestas o resortes
stainless steel, acero inoxidable
steel, acero
tin, estaño
tinplate, hojalata
titanium, titanio
tungsten carbide, carburo de tungsteno
white gold, oro blanco
wrought iron, fierro forjado; hierro forjado

Notas

Notas

Notas

Notas

Notas

Notas

Notas

ORDER BLANK

Please send $7.95 plus $1.50 for shipping
for each copy of *Nash's Dictionary of
Tools and Machinery* to:

Albacore Press

1612 N. 39th St.
Seattle, WA 98103
Phone: (206) 547-7902
Fax: (206) 633-2817

*Washington State residents please
add 8.2% sales tax.

Name: _____

Address: _____

City: _____

State/Zip: _____